くらしをみつめる

まなび方コーナー

見る・聞く・ふれる
質問のしかた ……………………… 99

読み取る
地球儀の見方・使い方 ……………… 8
グラフを読み取る ………………… 46
写真の読み取り方 ………………… 61
折れ線グラフを読み取る ……… 72
景観をとらえる …………………… 77
土地利用図の読み取り方 ……… 78

表す・伝える
表にまとめる ……………………… 93
プレゼンテーションの資料をつくる 108
関連づけて考える ……………… 116

上のマークを活用して，社会科の学習を進めよう。

くわしくは，「学習の進め方」(24ページ)を見てね。

ドラえもん　のび太　しずか

Ｄ マーク

- このマークがあるページでは，インターネットを使った学習ができます。
- インターネットを使うときは，まず，先生や保護者に相談しましょう。
- インターネットに接続するときは，下のアドレスやマークのどちらかからアクセスしましょう。

https://tsho.jp/02p/s5a/
[アドレス]
[マーク]

＊Ｄマークのコンテンツの使用料は発生しませんが，通信費は自己負担となります。

● Ｄマークリスト

ビンゴ！都道府県かるた …………………… 2
都道府県いくついえるかな？ ……………… 2
六つの大陸・三つの海洋 …………………… 9
地図帳でさがそう！世界の国々 ……………10
学習の進め方をたしかめよう ………………25
どこの気候かわかるかな？……………………47
米づくり農家の人にインタビュー ……………82

＊このほかに，学習の参考になるホームページもしょうかいしています。

▶（教科名）　**教科関連マーク**　● このマークがあるところは，ほかの教科の内容とかかわりがあります。

4 年生で学んだこと

わたしたちが

わたしたちが住む県について，地形や土地利用，交通や産業などについて学習しました。

県の土地利用

県の交通

わたしたちの県

県の地形

県の主な産業

県では昔から自然災害が起きていて，さまざまな防災(ぼうさい)の取り組みがあることがわかりました。

自然災害(さいがい)からくらしを守る

ひなん行動計画の話し合い

わたしたちが住む県には，伝統あるものがたくさんあり，地域の発展につくしてきた人がいることがわかりました。

県内で昔起きた自然災害

ふだんから備(そな)えておくもの

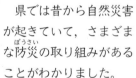

「ビンゴ！都道府県かるた」「都道府県いくついえるかな？」

くらしている県

ふだん飲んでいる水がどのようにとどけられるのか学習しました。

住みよい
くらしをつくる

毎日出るごみは，分別してしょりされたり，リサイクルされたりしていることがわかりました。

水はどこから

ごみのしょりと利用

郷土の伝統・
文化と先人たち

特色ある
地域と人々の
くらし

県内のさまざまな特色ある地域を学習しました。ほかの都道府県は，どのような様子なのかな。

郷土芸能

用水を開発した先人

伝統的な文化を守る地域

地場産業がさかんな地域

自然環境豊かな地域

国際交流に取り組む地域

世界はどのように広がっていて，日本の国土はどのような様子なのかな。

わたしたちの国土

地球儀や地図帳で調べる

世界の地図

低い土地のくらし

あたたかい土地のくらし

わたしたちがふだん食べているものは，どこでどのようにつくられているのかな。

わたしたちの生活と食料生産

米づくり

わたしたちにとどけられる食料

水産業

情報はぼくたちの生活とどのようにかかわっているのかな。

くらしを支える

ふだん乗っている自動車は，どのようにつくられているのかな。

中小工場には，どのようなくふうがあるのかな。

わたしたちの生活と工業生産

自動車をつくる工業

中小工場などの技術

国土の環境を守るために，どのような取り組みがあるのかな。

情報化した社会と産業の発展

放送局の仕事

はん売店での情報活用

わたしたちの生活と環境

自然災害から人々を守る取り組み

公害を防ぐ取り組み

森林の働き

わたしたちの国土

地球の写真や地球儀を
見て，調べたいと思った
ことを話し合いましょう。

日本は地球のどこにあるのだろう。

世界の陸地や海は，どのようになっているのかな。

日本の国土やそのまわりの様子は，どのようになっているのかな。

日本の国土に住む人たちは，どのようなくらしをしているのかな。

教科書や地図帳でも調べてみよう。

地球儀

地球の形をそのまま小さくした模型。陸地や海の形や大きさを正しく表しています。

地図

地球の一部または全部を平らに表した図。

め あ て

日本は，地球のどこにあり，人々のくらしは，どのようになっているのでしょうか。

つかむ

地球の様子や地図を見て話し合い，世界の中の日本について学習問題をつくりましょう。

大陸はいくつあるのかな。

ユーラシア大陸

日本

太平洋

アフリカ大陸

赤道

インド洋

オーストラリア大陸

南極大陸

南極

北アメリカ大陸

太平洋

大西洋

赤道

南アメリカ大陸

南極大陸

北極

南極

世界はどのように広がっているのかな。

地球は見る場所によって様子がちがうよ。

たてや横の線は，何を示しているのかな。

まなび方コーナー

地球儀の見方・使い方

①位置を調べる

地球儀にある緯度と経度を用いると位置を表すことができます。

②きょりを調べる

地球儀の2点間にひもをはり，きょりをはかります。その地球儀で，1cmが何kmかを調べ，実際のきょりを計算します。

③方位を調べる

2本の紙テープを，直角に交わるように置きます。一方のテープを経線に合わせると南北を示し，もう一方のテープは東西を示します。

北

東

西

南

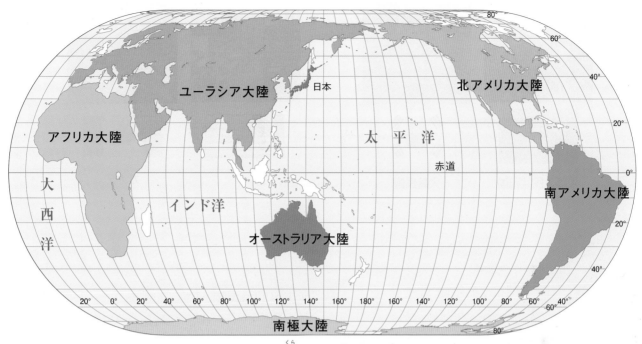

↑1世界の大陸と海洋 陸地と海の大きさや形を地球儀と比べてみましょう。

　ひろとさんたちは，地球儀や地図，資料を使って，世界の主な大陸や海洋と，日本との位置関係について話し合いました。

5　「六つの大陸と三つの大きな海洋があります。世界全体で見てみると，陸地よりも海のほうが多いです。」

　「日本はユーラシア大陸の東にあって，太平洋の西にあります。」

　「世界には，日本のほかにどのような
10　国々があるのかな。」

学習問題
　世界から見た日本の国土は，どこにあり，どのように広がっているのでしょうか。

 ことば

緯度と経度 地図や地球儀には，たてと横に引いた線があり，たての線を経線，横の線を緯線といいます。経線は，イギリスの旧グリニッジ天文台を通る線を0°として，東西に180°まで等間隔に分けています。緯線は，赤道を0°として，南北を90°まで分けています。緯度・経度は，緯線と経線の位置を表すもので，地球上での位置を正確に表すときに使います。

調べること

・世界の国々と日本。

・日本の国土の広がり。

・日本の領土。

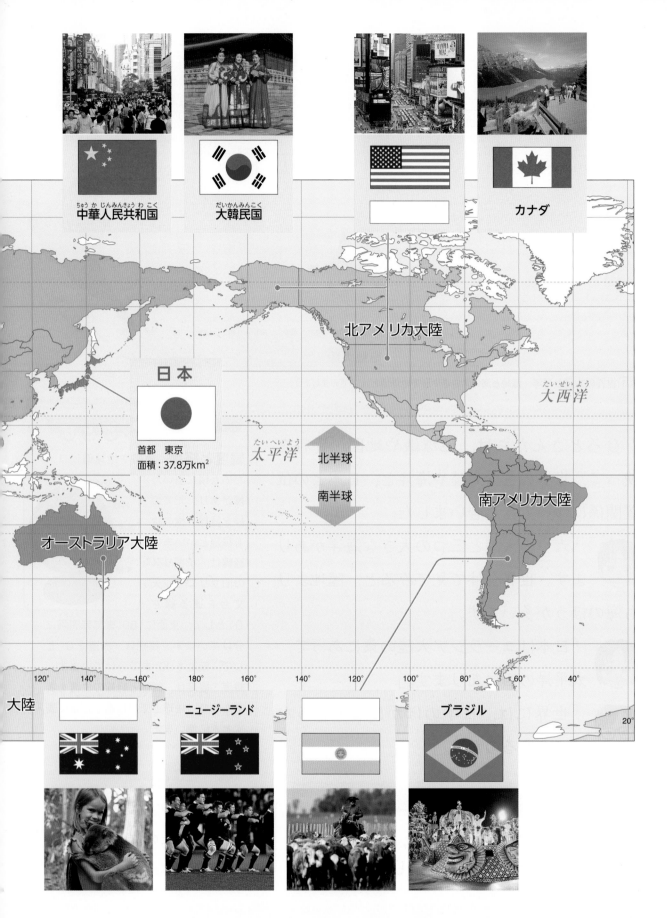

中華人民共和国

大韓民国

カナダ

北アメリカ大陸

大西洋

日本

首都　東京
面積：37.8万km²

太平洋

北半球

南半球

南アメリカ大陸

オーストラリア大陸

120°　140°　160°　180°　160°　140°　120°　100°　80°　60°　40°

20°

大陸

ニュージーランド

ブラジル

調べる

世界の主な国々と日本の位置や国旗について調べてみましょう。

世界には，どのような国々があるのかな。

やってみよう

1. 国名の入っている国は，地球儀や地図帳で位置を調べて，線でつなごう。
2. 国名が空らんになっている国は，地球儀や地図帳で国名を調べて書いてみよう。
3. 日本と同じ緯度や経度にある国を，地球儀や地図帳で調べてみよう。

イギリス

南アフリカ共和国

ことば

国旗 日本の国旗は，白地に太陽が赤くかがやいている様子を表しています。どの国の国旗にも大切な意味や由来があり，自国はもちろん，ほかの国の国旗も大切にすることが必要です。

ユーラシア大陸

アフリカ大陸

赤 道

インド洋

南極

トルコ

インド

「地図帳でさがそう！世界の国々」「キッズ外務省」 　　▶ 外国語「世界のさまざまな国と国旗」

日本の国土は,
どのような特色が
あるのでしょうか。

北緯24度27分
東経122度56分

↑② 与那国島（沖縄県） 台湾に最も近い位置に
ある沖縄県の島です。

北緯20度25分
東経136度4分

↑←③ 沖ノ鳥島（東京都）
島の大部分が海にしず
んでしまうときもあります。
そのため,まわりをコンク
リートブロックで囲み,しず
まないようにしています。

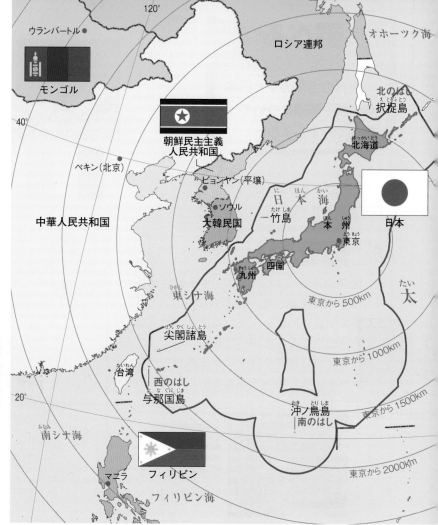

↑① 国土の広がりとまわりの国々　国土の東西南北のはしがどこまでか確かめ,
南北,東西のきょりを調べてみましょう。

多くの島からなる日本

日本は,北半球に位置
し,まわりを太平洋や日本海などの海に囲まれ
ている島国です。北海道,本州,四国,九州の
四つの大きな島と,沖縄島や択捉島をはじめと
する多くの島々が南北に弓のように連なってい
ます。

日本の海岸線の長さは,約3.5万kmです。世
界で6番目に長く,日本より広い面積のオース
トラリアやアメリカ合衆国などより長くなって
います。

10

○ 日本の排他的経済水域
（200海里水域）

- 自国の沿岸から200海里
  （約370km）までは，天然資源開発
  などの権利が認められています。
- 日本の法律にもとづいて，
  この境界線を引いてありますが，
  関係国と協議中のところもあります。
- 排他的経済水域には領海も
  ふくまれます。

160°　40°

大韓民国，中華人民共和国，
ロシア連邦の国旗は，10～11
ページにあります。

平　洋

東のはし
南鳥島
！

20°

東京から2500km

日本の東西南北のはしは，東
京からどのくらいのきょりにあ
るのだろう。

日本の東西南北のはしは，南
鳥島，与那国島，沖ノ鳥島，択
捉島です。

日本のまわりには，大韓民国
（韓国），朝鮮民主主義人民共和
国（北朝鮮），中華人民共和国
（中国），ロシア連邦，モンゴ
ル，フィリピンなどの国があり
ます。

日本の国土は，
どのように広がって
いるのかな。

日本のまわりには，太平洋，
日本海，オホーツク海，東シナ
海があり，それらの海をへだて
て外国と接しています。

北緯45度33分
東経148度45分

↑④ 択捉島（北海道）　本州，北海道，九州，四国に次ぐ
大きさの島です。

北緯24度17分
東経153度59分

↑⑤ 南鳥島（東京都）　さんごしょうの島で，地震や気象
の観測をしています。

🌱 日本の島の数

　日本には，海岸線の長さが100m
以上ある島が，全部で6800以上も
あります。

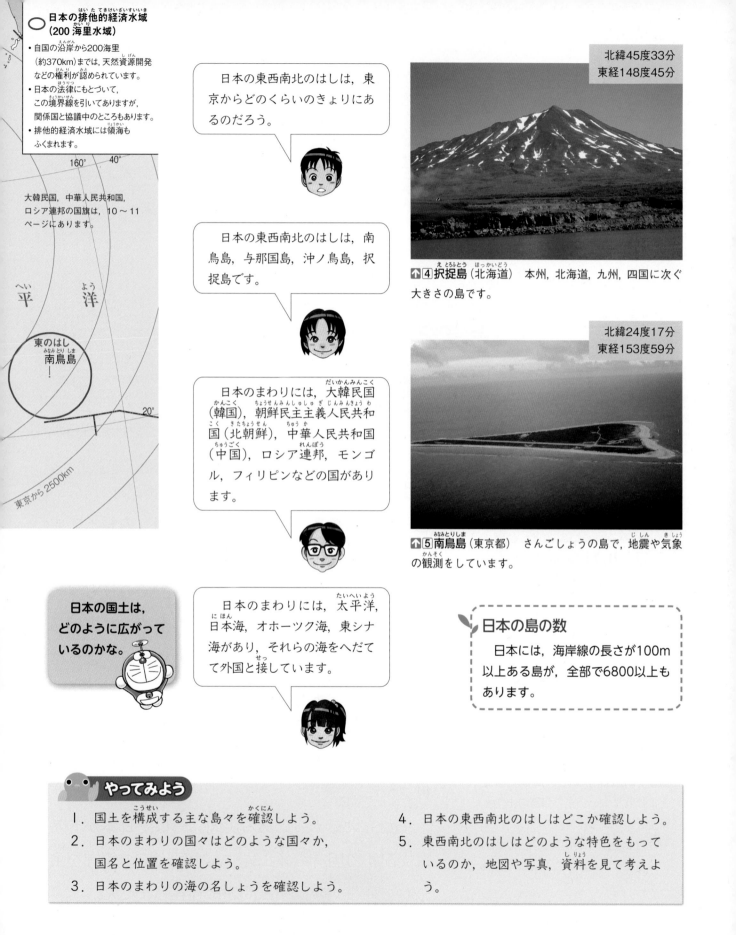

やってみよう

1．国土を構成する主な島々を確認しよう。

2．日本のまわりの国々はどのような国々か，
　国名と位置を確認しよう。

3．日本のまわりの海の名しょうを確認しよう。

4．日本の東西南北のはしはどこか確認しよう。

5．東西南北のはしはどのような特色をもって
　いるのか，地図や写真，資料を見て考えよ
　う。

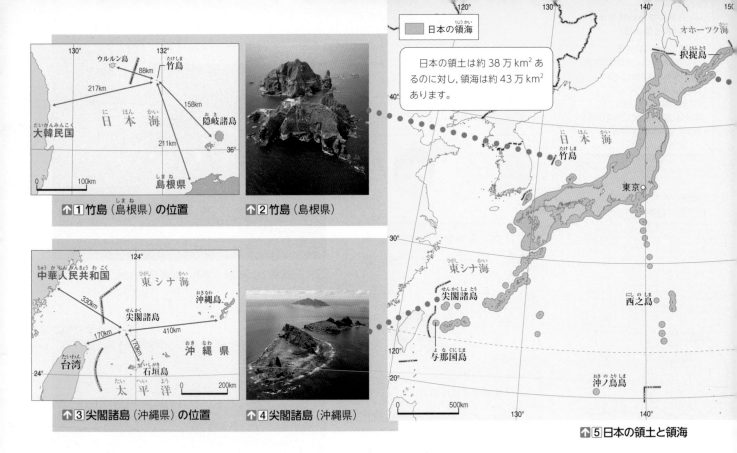

↑ 1 竹島（島根県）の位置　　↑ 2 竹島（島根県）

↑ 3 尖閣諸島（沖縄県）の位置　　↑ 4 尖閣諸島（沖縄県）

日本の領海

日本の領土は約38万km²あるのに対し、領海は約43万km²あります。

↑ 5 日本の領土と領海

調べる

日本の領土のはんいは、どのようになっているのでしょうか。

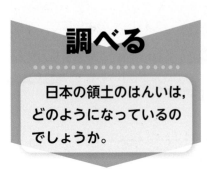

ことば

領土　その国のもつ陸地と、陸地に囲まれた湖や川などを合わせて領土といいます。また、海岸から12海里（約22km）までの海は、領海とよばれます。領土と領海の上空を領空といいます。

許可なく、ほかの国の領土や領空に入ってはいけないことになっています。

領土をめぐる問題　北海道の北東に続く歯舞群島、色丹島、国後島、択捉島は、日本固有の領土です。ところが、80年ほど前におきた太平洋戦争が終わったあとソビエト連邦が占領し、その後もソビエト連邦をひきついだロシア連邦が不法に占領しています。日本政府は、これらの島を返すように求めて、交しょうを続けています。5

日本海上にある竹島は、日本固有の領土ですが、韓国が不法に占領しているため、日本は抗議を続けています。10

また、東シナ海にある尖閣諸島は、日本が有効に支配する固有の領土です。中国がその領有を主張していますが、領土問題は存在しません。

「内閣官房 領土・主権対策企画調整室」「北方領土問題対策協会 キッズコーナー」

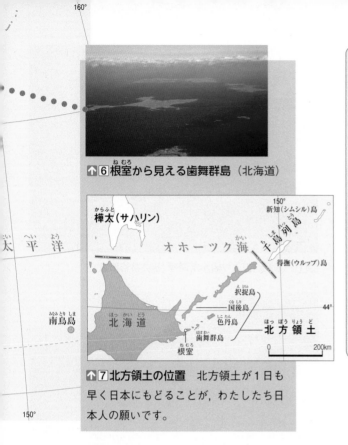

↑6 根室から見える歯舞群島（北海道）

↑7 北方領土の位置　北方領土が1日も早く日本にもどることが，わたしたち日本人の願いです。

拡大する西之島

　西之島（東京都）は東京の南約1000kmの太平洋上にあり，2013（平成25）年11月以降，ふき出したよう岩によって陸地が少しずつ拡大しています。面積は，2016年12月時点で，噴火前のおよそ9倍に広がりました。2017年6月30日に発行された海図と地形図によって，日本の領海が約70km^{2}拡大しました。

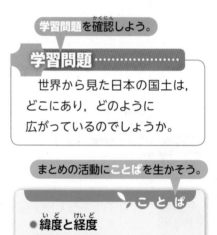
←8 西之島

学習問題を確認しよう。

学習問題 ··············
　世界から見た日本の国土は，どこにあり，どのように広がっているのでしょうか。

まとめの活動にことばを生かそう。

ことば
● 緯度と経度
● 国旗　● 領土

まとめる

日本の国土の特色について，まとめてみましょう。

表にまとめる　ひろとさんたちは，世界の中での日本の国土の特色について，調べたことをふり返り，表にまとめました。

	調べてわかったこと	日本の国土の特色
世界の陸地や海洋の様子　8～9ページ	●　□つの大陸と□つの海洋がある。	●日本は，□□□□大陸の東，太平洋の西にある。
世界の主な国々の様子　10～11ページ	●世界にはたくさんの国と国旗がある。	●日本は，□半球に位置する。アメリカ合衆国やフランスなどと同じくらいの□□□にある。 ●オーストラリアと同じくらいの経度にある。
国土の広がりと領土の様子　12～15ページ	●日本には6800以上もの島がある。 ●まわりには，□□□□□や中国，□□□などの国がある。 ●日本の領土や領海のはんい。	●日本は，海に囲まれ，たくさんの島々から成り立っている。 ●広い領海をもっている。

✐ 学習をふり返り，地図帳や地球儀を見ながら空らんをうめてみましょう。

つかむ

高い空から日本を見て，日本の地形について話し合い，学習問題をつくりましょう。

どのような地形のところがあるのかな。

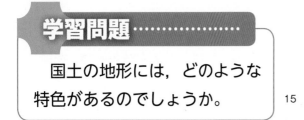
↑**1**日本海側の入り組んだ海岸（福井県若狭湾）

空から国土をながめてみよう　ゆうなさんたちは，日本を空から写した写真を見て，気づいたことを話し合いました。

「山は，連なっているものや噴火しているものがあります。」

「海岸の様子も場所によってちがいがあるね。」

「川もいろいろなところにあり，長さもさまざまです。」

「平らな土地は，どのようなところに多いのかな。」

「空から見る国土の様子には，場所によってちがいがあるね。」

5

10

↑**2**山がちな地域（徳島県祖谷地方）

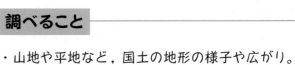
↑**3**たくさんの島がある地域（長崎県九十九島）

学習問題

国土の地形には，どのような特色があるのでしょうか。

15

調べること

・山地や平地など，国土の地形の様子や広がり。

・川や湖の様子や広がり。

↑④土地が低い地域（岐阜県海津市）

↑⑤広い平野と川（北海道石狩平野）

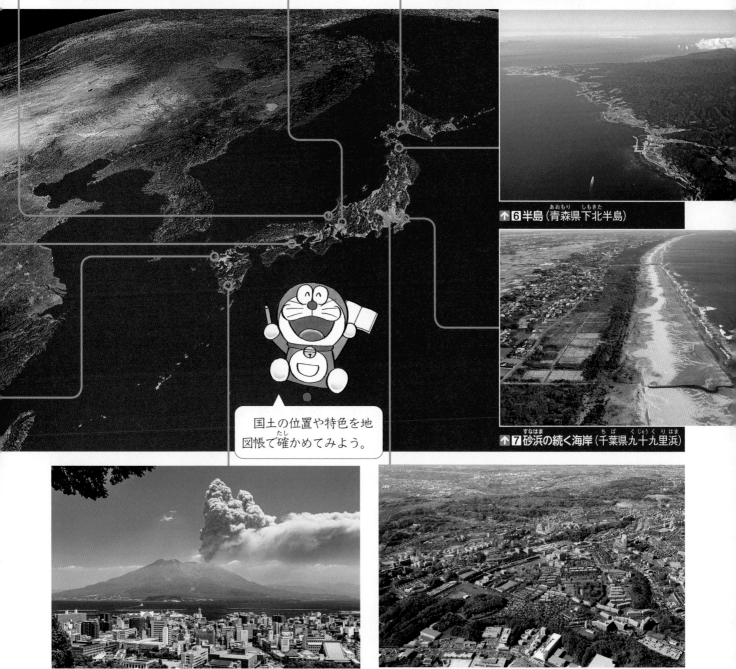

↑⑥半島（青森県下北半島）

↑⑦砂浜の続く海岸（千葉県九十九里浜）

国土の位置や特色を地図帳で確かめてみよう。

↑⑧火山（鹿児島県桜島）

↑⑨丘の斜面に広がるまち（東京都八王子市）

17

↑①飛驒山脈

調べる

山地や平地の特色や広がりはどのようになっているのでしょうか。

↑②さまざまな地形

山地：山が集まっている地形

山脈：連続して細長く連なっている山地

高地：山がはば広く連なる山地

高原：標高は高いが，平らに広がる土地

丘陵：あまり高くなく，小さな山が続いている地形

平地：平らな土地

平野：海に面している平地

盆地：山に囲まれている平地

台地：平地の中でまわりより高くて平らになっている地形

国土のさまざまな地形　ゆうなさんたちは，地図帳などで地形がわかる地図を見ながら，国土の様子について調べ，話し合いました。

「日本には，多くの山脈や山地があることがわかります。」

「日本の中心に，せぼねのように高い山脈が連なっています。」

「日本には火山もあり，特に山地や島などに多く見られます。」

「盆地は山に囲まれていて，平野は海に面しています。」

「国土のおよそ４分の３は山地で，平地は少ないです。」

5

10

ことば

火山　地下の溶岩などが噴き出してできた山のことです。火山が噴火すると，地形が変化することもあります。

↓③松本盆地（長野県）　　↓④最上川と庄内平野（山形県）

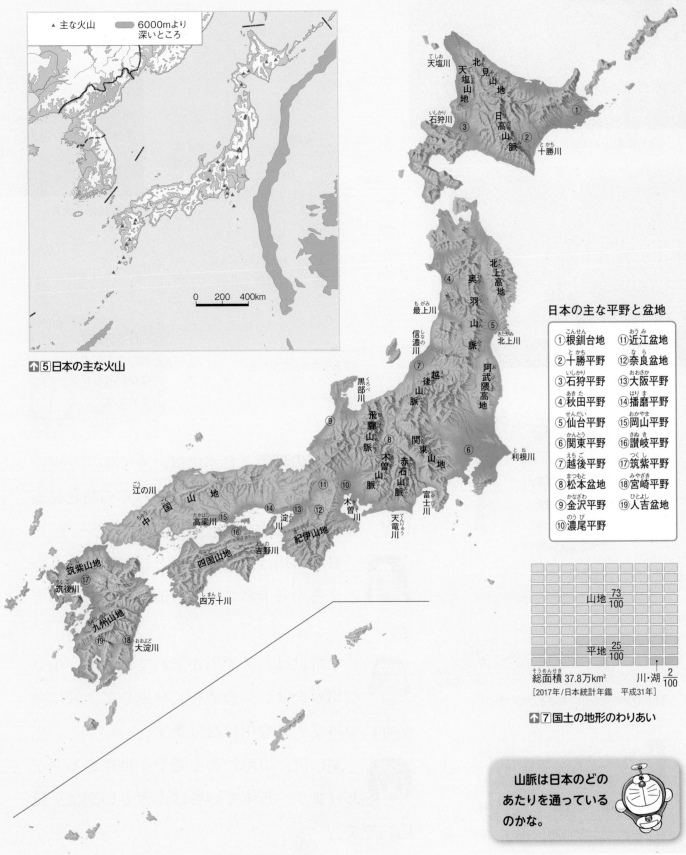

主な火山 ▲　6000mより深いところ ▨

0　200　400km

天塩川 てしお
北見山地 きたみ
天塩山地 てしお
日高山脈 ひだか
石狩川 いしかり
十勝川 とかち

①

③

②

最上川 もがみ
信濃川 しなの
黒部川 くろべ
北上高地 きたかみ
北上川 きたかみ
奥羽山脈 おうう
越後山脈 えちご
飛騨山脈 ひだ
木曽山脈 きそ
赤石山脈 あかいし
関東山地 かんとう
阿武隈高地 あぶくま
利根川 とね
富士山 ふじ
天竜川 てんりゅう

④

⑤

⑦

⑧

⑨

⑩

⑪

江の川 ごう
中国山地 ちゅうごく
高梁川 たかはし
筑紫山地 ちくし
筑後川 ちくご
九州山地 きゅうしゅう
大淀川 おおよど
四万十川 しまんと
四国山地 しこく
吉野川 よしの
紀伊山地 きい
淀川 よど
木曽川 きそ

⑫
⑬
⑭
⑮
⑯
⑰
⑱
⑲

⑥

日本の主な平野と盆地

① 根釧台地 こんせん　⑪ 近江盆地 おうみ
② 十勝平野 とかち　⑫ 奈良盆地 なら
③ 石狩平野 いしかり　⑬ 大阪平野 おおさか
④ 秋田平野 あきた　⑭ 播磨平野 はりま
⑤ 仙台平野 せんだい　⑮ 岡山平野 おかやま
⑥ 関東平野 かんとう　⑯ 讃岐平野 さぬき
⑦ 越後平野 えちご　⑰ 筑紫平野 つくし
⑧ 松本盆地 まつもと　⑱ 宮崎平野 みやざき
⑨ 金沢平野 かなざわ　⑲ 人吉盆地 ひとよし
⑩ 濃尾平野 のうび

山地 73/100

平地 25/100

川・湖 2/100

総面積 37.8万km²　そうめんせき

[2017年 / 日本統計年鑑　平成31年]

山脈は日本のどのあたりを通っているのかな。

↑①信濃川（新潟県）

↑②黒部川（富山県）

平地

↑③日本の主な川や湖

0 300km

天塩川
サロマ湖
石狩川
北上川
最上川
信濃川
阿武隈川
黒部川
猪苗代湖
庄川
霞ヶ浦
中海
淀川
利根川
江の川
荒川
天竜川
富士川
筑後川
木曽川
吉野川
紀ノ川
琵琶湖

↑④琵琶湖（滋賀県）

日本の川は，地形とどのようなかかわりがあるのかな。

調べる

日本の川や湖は，どのような特色があるのでしょうか。

↑⑤世界の主な川の長さとかたむき

高さm
木曽川(227km)　信濃川(367km)　ロワール川(1020km)
利根川(322km)　ミシシッピ川(5969km)　アマゾン川(6516km)
長さ

1	琵琶湖（滋賀県）	669.3km²
2	霞ヶ浦（茨城県）	168.1km²
3	サロマ湖（北海道）	151.6km²

↑⑥日本の主な湖の面積 [理科年表　平成31年]

日本の川や湖の特色　日本には，多くの川や湖があります。ゆうなさんたちは，それらの特色について，資料をもとに話し合いました。

「日本の川は，世界の川と比べると，高いところから流れていて，流れが急で短いです。」 5

「平野には，必ず川が流れています。小さな川が合流し，合流をくり返して，海に向かうにつれて大きな川になります。」

「湖には，山地にある湖や平地にある湖が 10 あります。日本でいちばん大きい湖は，琵琶湖です。」

国土の地形の
特色について,
まとめてみましょう。

まとめの活動に**ことば**を生かそう。

ことば
●火山

白地図にまとめる　ゆうなさんたちは,国土の地形の特色について白地図にまとめることにしました。

学習問題を確認しよう。

学習問題
国土の地形には,どのような特色があるのでしょうか。

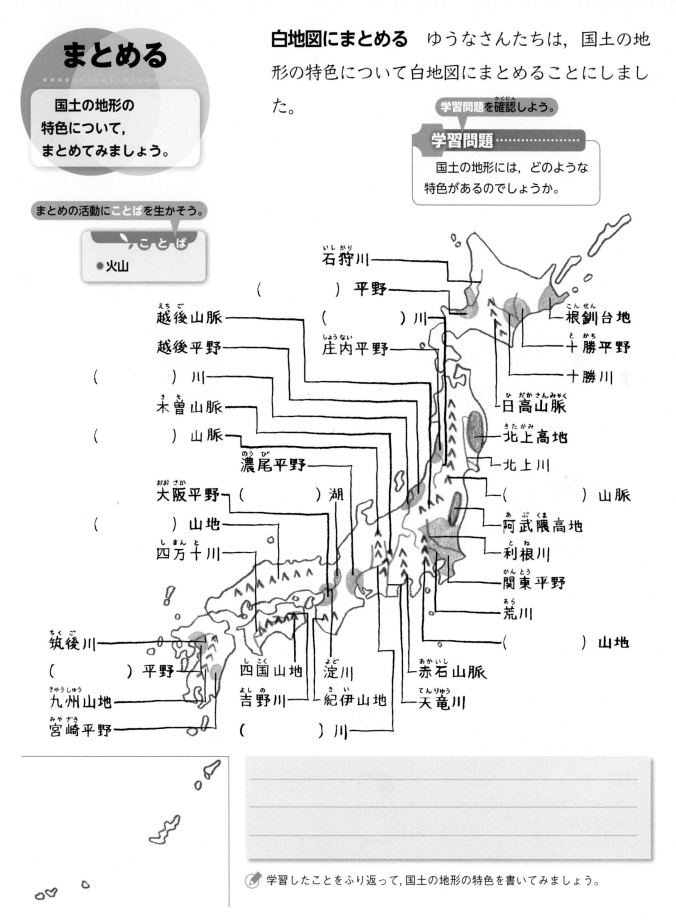

石狩川
（　　　　　）平野
越後山脈
越後平野
（　　　　　）川
庄内平野
（　　　　　）川
木曽山脈
（　　　　　）山脈
濃尾平野
大阪平野
（　　　　　）湖
（　　　　　）山地
四万十川
筑後川
（　　　　　）平野
九州山地
宮崎平野
四国山地
吉野川
（　　　　　）川
淀川
紀伊山地
赤石山脈
天竜川
根釧台地
十勝平野
十勝川
日高山脈
北上高地
北上川
（　　　　　）山脈
阿武隈高地
利根川
関東平野
荒川
（　　　　　）山地

✎ 学習したことをふり返って,国土の地形の特色を書いてみましょう。

21

3 低い土地のくらし —岐阜県海津市—

つかむ

海津市の土地の様子や，人々の生活について考え，学習問題をつくりましょう。

海津市の地形は，どのようになっているのかな。

ことば

堤防　堤防は，こう水や高波などから，人々の生活を守るためにつくられます。海津市でも，台風や大雨などによる水害を防ぐために，より高く強い堤防をつくる努力を続けてきました。

↓①堤防とまちの様子

堤防に囲まれた土地

岐阜県海津市は，三つの大きな川の下流にあります。川と川にはさまれた土地の多くは，海面より低く，日本を代表する低地の一つです。堤防に囲まれたこのあたりの土地は「輪中」とよばれています。　5

「三つの大きな川にはさまれて，平らな土地が広がっているね。」

「平らな土地のまわりは，何かに囲まれているみたいだね。ぜんぶ堤防かな。」

「堤防と近くの場所の高さを比べてみると，10堤防の方が高いみたいです。」

22　③ 高い土地のくらし（32〜39ページ）と，どちらかを選んで学習しましょう。

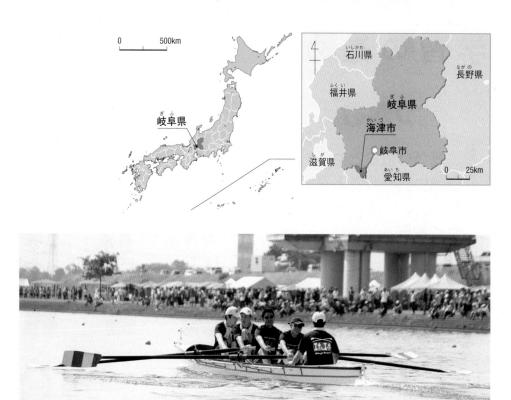

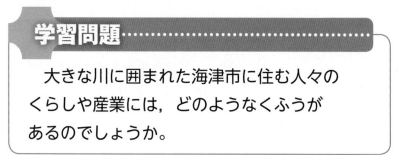

◀②三つの川が集まる地域　↑③海津市で行われるボートの大会

「川に囲まれた土地では，人々はどのように生活しているのだろう。」

「川の水を生かしたボートの大会が行われているようです。」

5　「川の水面より低い土地が多いのに，水害の心配はないのかな。」

「低い土地ならではのくらしのくふうがあるのではないかな。」

　りくさんたちは，話し合ったことをもとに，学

10　習問題をつくりました。

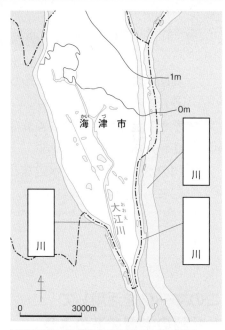

↑④三つの川が集まる地域の土地の高さ

学習問題

　大きな川に囲まれた海津市に住む人々のくらしや産業には，どのようなくふうがあるのでしょうか。

やってみよう

●海面の高さ（0m）よりも低いところに色をぬってみよう。

●地図帳で川の名前を調べて，書きこんでみよう。

学習の進め方

つかむ

気づいたことや疑問に思ったことを話し合い，学習問題をつくろう。

川の水面よりも低い土地が多いので，水害が多いのではないかな。

昔から堤防をつくるなど，水害からくらしを守る取り組みをしてきたのではないかな。

川の豊かな水を，農業に生かしているのではないかな。

川の水辺で遊ぶところがたくさんあるのではないかな。

みんなでつくった学習問題

学習問題
大きな川に囲まれた海津市に住む人々のくらしや産業には，どのようなくふうがあるのでしょうか。

学習問題について予想し，何について調べるかを話し合ってみましょう。

学習問題について予想しよう ………

- 堤防以外にも，水からくらしを守るくふうがあるのではないかな。
- 水が豊富なので，米づくりなどの農業がさかんなのではないかな。
- 川の水を生かして，水辺などで楽しむところもあるのではないかな。

調べること

- 水害からくらしを守るくふう…輪中の歴史と水害防止の取り組み
- 低い土地での水を生かしたくらしや産業のくふう…農業を中心とした水の生かし方

活用のポイント

このマークを活用して社会科の学習を進めよう。

海津市の地形は，どのようになっているのかな。

ドラえもんが目印です。

◇ 位置や広がりに着目
- どのような場所にあるのかな。
- どのように広がっているのかな。

◇ 時間に着目
- いつごろ始まったのかな。
- どのように変わってきたのかな。

◇ かかわりに着目
- どのようなつながりがあるのかな。
- どのようなくふうがあるのかな。
- どのように協力しているのかな。

◇ 比べる，分類する，総合する，関連づける
- ちがいがあるか比べてみよう。
- いくつかの種類に分類してみよう。
- 学習したことを総合したり，関連づけたりしてみよう。

調べる

いろいろな方法で
調べよう。

調べ方

みんなで協力して
調べよう。

● 教科書を使って調べる

- 見出しを見て，関係がありそうなところの本文を読む。
- 特に，その土地の人が話していることから，くふうや努力，思いや願いなどを読み取る。
- 写真，地図，グラフや表などの資料からも，必要な情報を読み取る。

● 教科書以外で調べる

- 海津市や，市の資料館などのホームページで調べる。
- 現地の人や関係する人などに，メールや電話でたずねる。たずねるときには，失礼のないよう，ていねいな言葉で質問する。

← ② 図書館を利用して資料を集める。

↓ ④ グループで話し合う。

↑ ① 地図帳で調べる。

→ ③ インターネットを使って資料を集める。

ふ り 返 ろ う

- 学習内容をふり返り，それぞれの時間で調べたことを整理しよう。

まとめる

調べてわかったことや
考えたことをまとめよう。

- 調べてわかったことや考えたことをまとめてみよう。
- 友だちと話し合ったり，まとめたりするときには，教科書の ことば を生かそう。

まとめ方

- 予想をもとに，調べたことや考えてきたことをノートに整理する。
- 友だちと，調べたことや疑問に思ったことなどを意見交かんする。
- 調べてわかったことと自分が考えたことを分けて書くようにする。

ふ り 返 ろ う

- 自分の調べ方と友だちの調べ方を比べてみよう。
- 自分の予想がどうだったか，確かめてみよう。
- よりよい調べ方やまとめ方について考えてみよう。

いかす

学習したことを次の
学習や生活にいかそう。

- 学習したことをもとに，自分の生活の中でできることを考えたり，しょうらいに向けた提案をしたりしてみよう。
- 学習したことをもとに，ほかの学習（ ひろげる のページなど）にも目を向けてみよう。

輪中に住む人々は，水害から生活をどのように守ってきたのでしょうか。

↑2 デレーケの像（愛知県愛西市）

水害からくらしを守るために，どのような人々の協力があったのかな。

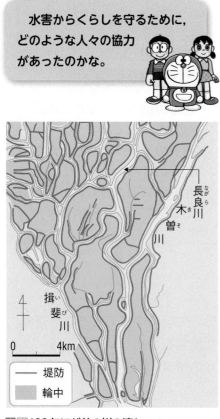

↑3 120年ほど前の川の流れ

凡例
—— 堤防
▨ 輪中

0 4km

↑1 千本松原　長良川と揖斐川を分ける役わりを果たしています。

水害とたたかってきた人々

昔から，輪中の人々は，力を合わせて堤防を築き，水害からくらしを守ってきました。しかし，明治時代の終わりごろまでの輪中地帯は，木曽川，長良川，揖斐川がまざり合い，こう水が起きやすい地形でした。

人々は，少しでも高い土地に家を建てたり，水屋を建てたりして水害からくらしを守りました。

歴史民俗資料館の服部さんの話

輪中の歴史は，輪中の外側の水を入れずに，内側にたまる水を外に出すといった治水の歴史です。千本松原は，江戸時代に，薩摩（今の鹿児島県）の武士たちによる治水工事でつくられたものです。

明治時代に，オランダの技師ヨハネス・デレーケが三つの川の水源や流れを調査し，大規模な工事が必要だと報告しました。工事は25年ほどもかかり，80ほどあった輪中は30ほどにまとめられ，水害の心配も少なくなりました。

5

10

15

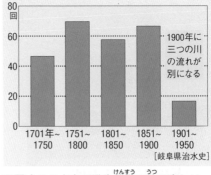

←④水屋（復元）と内部の様子

水屋は，家よりもさらに高く石垣を組んで建てました。こう水で家があぶないときに，家族がひなんするためのくふうです。

　最近では，水害の心配が少なくなり，家のつくりも昔とは変わってきました。

　また昔は，台風や大雨が来ると輪中の内側に大量の水がたまり，農作物が被害を受けることがありました。そこで，人々は大型の排水機場をつくり，水がたまる前に外に流し出すようにするなど，水害からくらしを守る取り組みを進めてきました。

　海津市では，市と市民が協力して，水防演習を行ったり，水防倉庫を備えたりするなど，今でも水害の防止に努めています。

（グラフ）

80回

1900年に三つの川の流れが別になる

1701年～1750　1751～1800　1801～1850　1851～1900　1901～1950

［岐阜県治水史］

↑⑤大きな水害の発生件数の移り変わり

ことば

治水　川の流れや水路などを改良して水害を防ぎ，水をくらしや産業に利用できるようにすることを，治水といいます。住みよい社会づくりに欠かせない大切な働きです。

↓⑥水防演習の様子

↓⑦水防倉庫

27

↑①70年ほど前の田植えの様子（上）とかり取った稲を運ぶ舟（1968年）（左）

輪中に住む人々は，豊かな水をどのように農業に生かしているのでしょうか。

海津市の農業は，どのように変わってきたのかな。

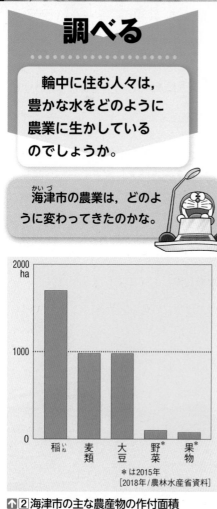

↑②海津市の主な農産物の作付面積

＊は2015年
［2018年／農林水産省資料］

豊かな水を生かした農業　水が豊かな輪中では，昔から稲作を行ってきました。しかし昔は，沼のような田でした。排水が十分にできなかったので，農作業は行いにくかったそうです。

そこで1948（昭和23）年から，田の広さや形を整える工事を始め，1954年からは，田と田の間の水路をうめ立てるようになりました。

↓③ビニールハウスでのトマトのさいばい

28

↑④うめ立て前の水田の様子（1968年）

↑⑤うめ立て工事が終わったあとの水田の様子

こうして輪中でも機械を使った農業ができるようになり，もともと水が豊かな土地なので，稲作はますますさかんになりました。また，排水機場ができて，輪中の水はけがよくなったので，米だけでなく，野菜や果物なども生産されています。

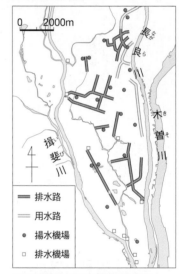

↑⑥海津市の用水路と排水路

排水路
用水路
● 揚水機場
□ 排水機場

農家の山田さんの話

　輪中の内側には，こう水のたびに上流から流れてきた栄養分の多い土がたまっていました。

　大きな排水機場ができてからは，いらない水を排水することができ，大雨がふっても輪中の内側に水がたまらなくなり，今のような農業ができるようになりました。

　また，排水だけでなく，揚水機場とパイプラインができて，必要なときに必要な量の水が使えるようになりました。

ことば

パイプライン　海津市では，揚水機場でくみ上げられた水を，地下にはりめぐらせたパイプを使って，田や畑に送っています。田や畑では，給水バルブを開き，水を自由に利用できます。余った水は，排水バルブを開き，排水路に流します。

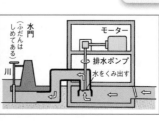

←⑦大型の排水機場と排水のしくみ

↑① 木曽三川公園

↑② 海津市にある高校のヨット部

↑③ 川魚を使った料理

↑④ 輪中のくらしや自然について学べる施設

200
万人

150

100

50

0

神千代保稲荷社

千本松原・木曽三川公園

海津温泉

チューリップ祭

[2017年/岐阜県観光入込客統計調査]

↑⑤ 海津市をおとずれた観光客数

海津市

千代保稲荷神社

歴史民俗資料館

こぎろ池
（ヨット池）

アクアワールド
水郷パークセンター

海津温泉

大江川

揖斐川

木曽川

デレーケ記念
交流レガッタ

治水神社

木曽三川公園センター

千本松原

0　　　3000m

↑⑥ 水辺の自然を生かした施設

調べる

海津市の人々は，
豊かな水をどのように
生活に生かしている
でしょうか。

 ことば

河川じき　治水工事で川の流れが
整えられて岸辺にできた，ふだんは
川の水が流れていない平らな土地を
いいます。海津市では，この土地を
市民の豊かな生活に役立てています。

水を生かした生活

海津市がある岐阜県には，となり合う愛知県，三重県とともに木曽川，長良川，揖斐川や河川じきの自然を生かした施設があります。そこでは，レクリエーションを楽しむ人々が大勢見られます。

　海津市では，輪中内の池や川をヨットの練習場やつりの施設などにも利用しています。また，川魚を使った料理や観光などにも力を入れています。

5

まとめる

海津市の人々の
くらしや産業における
くふうについて，
ノートにまとめましょう。

まとめの活動に**ことば**を生かそう。

ことば
- 堤防
- 治水
- パイプライン
- 河川じき

学習問題を確認しよう。

学習問題 ……………………………………

　大きな川に囲まれた海津市に住む人々の
くらしや産業には，どのようなくふうが
あるのでしょうか。

ノートにまとめる　りくさんたちは，学習をふり
返って，海津市の人々のくらしや産業について
ノートにまとめました。

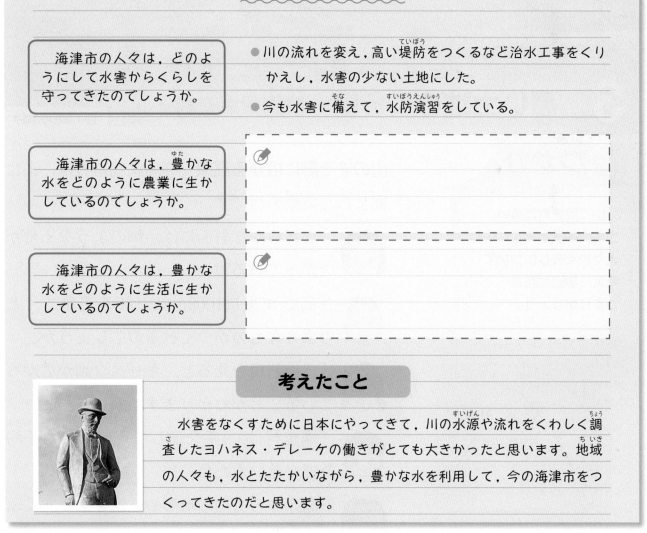

調べてわかったこと

海津市の人々は，どのようにして水害からくらしを守ってきたのでしょうか。	●川の流れを変え，高い堤防をつくるなど治水工事をくりかえし，水害の少ない土地にした。 ●今も水害に備えて，水防演習をしている。
海津市の人々は，豊かな水をどのように農業に生かしているのでしょうか。	✎
海津市の人々は，豊かな水をどのように生活に生かしているのでしょうか。	✎

考えたこと

　水害をなくすために日本にやってきて，川の水源や流れをくわしく調
査したヨハネス・デレーケの働きがとても大きかったと思います。地域
の人々も，水とたたかいながら，豊かな水を利用して，今の海津市をつ
くってきたのだと思います。

✎ 学習したことをふり返って，空らんに書きこんでみましょう。

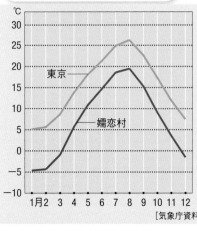

↑①嬬恋村の様子

3 高い土地のくらし —群馬県嬬恋村—

つかむ

山に囲まれた高い土地の様子とそこに住む人々のくらしについて考え，学習問題をつくりましょう。

↑②嬬恋村と東京の月別平均気温

山のすそ野に広がる高原　群馬県嬬恋村は，山に囲まれた高原の村です。

「なだらかな斜面には，畑のような土地が広がっているね。」

「高さが主に1000m以上ある高原で，どのようなものがつくれるのでしょうか。」　5

「土地利用を見ると，キャベツ畑が広がっていることがわかります。」

「嬬恋村は，1年を通して東京よりも平均気温が低いんだね。」　10

「高原ならではの地形や気候を生かすくふうがあるのかな。」

3 低い土地のくらし（22〜31ページ）と，どちらかを選んで学習しましょう。

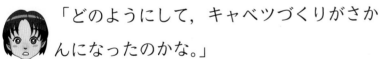

…キャベツ畑が広がっているところ

白根山
四阿山
田代湖
浅間山

m
2600
2200
1800
1400
1000
600

0　4km

↑③嬬恋村の土地利用

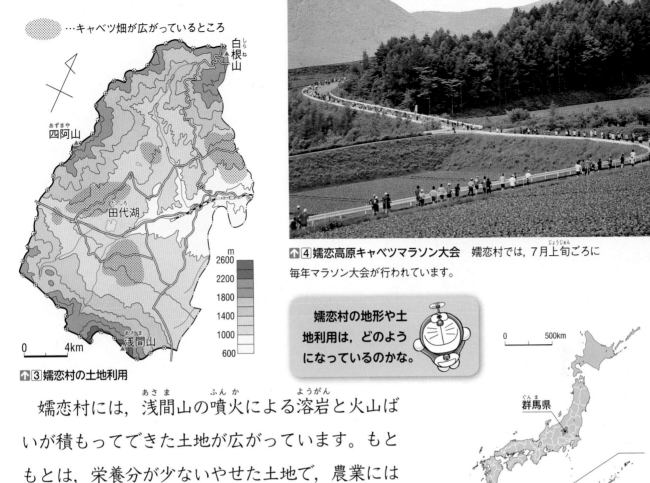

↑④嬬恋高原キャベツマラソン大会　嬬恋村では，7月上旬ごろに毎年マラソン大会が行われています。

嬬恋村の地形や土地利用は，どのようになっているのかな。

0　500km

群馬県

新潟県
嬬恋村
群馬県
栃木県
前橋市
長野県
埼玉県

0　25km

　嬬恋村には，浅間山の噴火による溶岩と火山ばいが積もってできた土地が広がっています。もともとは，栄養分が少ないやせた土地で，農業には適していませんでした。

5　「写真を見ると，キャベツ畑の間を多くの人が走っているよ。7月ごろにマラソン大会を行うのは，夏でもすずしいからなのかな。」

　「どのようにして，キャベツづくりがさかんになったのかな。」

10　めいさんたちは，資料を見て話し合ったことをもとに，学習問題をつくりました。

学習問題

　高い土地に住む人々のくらしや産業には，どのようなくふうがあるのでしょうか。

調べること

　学習計画を立てるときは，「学習の進め方」（24〜25ページ）を参考にしましょう。

・高原で農作物の生産を行うくふう。

・高原でのくらしや産業のくふう。

↑① 浅間山と田代湖

昔の嬬恋村の様子

↑② とうげの道をひらく（1933年）現在の国道の原型となる道をつくっている様子です。

↑③ 土地を耕している様子（1945年）じゃがいも畑を耕しているところです。

調べる

嬬恋村の人々は，
どのようにして
今のような土地に
してきたのでしょうか。

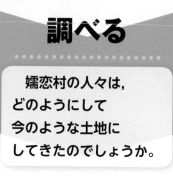

嬬恋村は，いつごろからキャベツづくりがさかんになったのかな。

年	主なできごと
1889（明治22）	嬬恋村ができる 明治時代の終わりごろ，キャベツをためしにつくり始める
1929（昭和4）	嬬恋村の人々が共同でキャベツのさいばいを始める
1934	キャベツの共同出荷を始める
1935ごろ	村の中心を通る県道（現在の国道144号）ができる
1948	農業協同組合ができる
1966	国の野菜指定産地になる
1979	予冷施設の設置が始まる

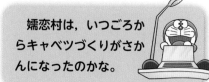

↑④ 嬬恋村の農業の主な歴史

あれ地を耕し広い畑に 嬬恋村のまわりには，高さ2000mをこえる山が複数あり，浅間山，四阿山，白根山などの山すそには，火山ばいが積もってできた高原が広がっています。

火山ばいのえいきょうから，土地がやせていて， 5 なかなか作物が育ちませんでしたが，明治時代の終わりごろからキャベツづくりが始められ，高原ならではの夏でもすずしい気候を生かしたさいばい方法がくふうされてきました。

村の人々のくふうや努力によって，しだいに 10 キャベツの生産がさかんになり，今では「高原野菜の村」として全国に知られるようになりました。

↑⑤嬬恋村のキャベツ畑

嬬恋郷土資料館の樋さんの話
きょう ど　し りょうかん　とい

　昭和のはじめごろまで，嬬恋村の農家は売
しょうわ
る作物が少なく，当時はお金が入るのはまゆ
と子馬を売ったときくらいだったそうです。冬は農業もでき

5　ないので，多くの人が出かせぎをしていました。

　1935（昭和10）年ごろに村の中心を通る現在の国道ができ，
げんざい
交通が便利になりました。また，村の人々が土地を耕し，さ
いばい方法をくふうして，しだいにキャベツをはじめとする
高原野菜をつくる農家が増えていきました。今では，嬬恋村
ふ

10　は全国一のキャベツの生産地です。

　嬬恋村には美しい自然がたくさんあり，夏はキャンプやハ
イキング，冬はスキーなどで多くの観光客にも来ていただい
ています。

ことば

高原野菜　嬬恋村などの高い土地
では，夏でもすずしい気候を生かし
てキャベツなどの高原野菜がさいば
いされています。キャベツのほかに，
レタスやはくさいなどを多くさいば
いしているところもあります。

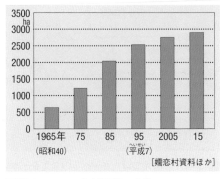

↑⑥キャベツの作付面積の変化

35

夏に新鮮なキャベツをとどける　キャベツのさい
ばいがさかんな嬬恋村では，すずしい気候を生か
して，ほかの産地の生産が少ない夏から秋に，新
鮮で安全な野菜を収穫できるようにさまざまなく
ふうをしています。　　　　　　　　　　　　　5

　「すずしい気候なのは，キャベツづくりに
何かいいことがあるのかな。」

　「夏から秋のキャベツは，群馬県の生産が
とても多いんだね。」

　「種まきを何回かに分けているよ。時期も　10
ずらしているのには，何か理由があるので
はないかな。」

⬆①種まき　種をまいてなえをつくります。

⬆②土づくり　畑になえを植える前に，
たい肥を混ぜて耕し，土を元気にします。

⬆③なえの植えつけ　キャベツのなえを一本ずつ
ていねいに植えます。

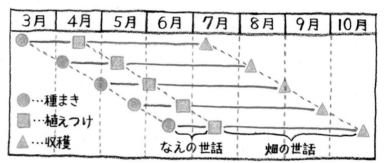

3月	4月	5月	6月	7月	8月	9月	10月

●…種まき
■…植えつけ
▲…収穫

なえの世話　　畑の世話

⬆⑤嬬恋村のキャベツごよみ　時期をずらし，何回かに分けて種まきをすることで，
長い期間収穫ができるようにしています。

⬇④広がるキャベツ畑

JA嬬恋村の黒岩さんの話

高い土地の気候を,どのように
キャベツづくりに生か
しているのかな。

　キャベツがよく育つ温度は,約15度から
20度で,嬬恋村の夏の平均気温とほぼ同じ
です。嬬恋村は,標高が高いため,昼と夜の温度差が大きく,
5　雨の量が適度なこともキャベツのさいばいに合っていて,あ
まくてやわらかいキャベツが育ちます。

　キャベツづくりで最もいそがしいのは収穫の時期です。毎
日明け方から作業を始め,全て手作業なので,家族やお手伝
いの人など,多くの人数で協力してキャベツを一つ一つ収穫
10　します。収穫したキャベツは,予冷庫で一度冷やしてから,
新鮮な状態で全国に運びます。

こ と ば

促成さいばい・抑制さいばい

　しゅんの時期とずらした時期に出荷
して,よりよい価格で売れるようにく
ふうするさいばいです。嬬恋村は,夏
でもすずしい気候なので,促成さいば
いや抑制さいばいに向いています。

	産地(割合)					合計
春キャベツ (主に4～6月に出荷)	愛知 18.0%	千葉 14.2	神奈川 13.4	茨城 12.9	そのほか 37.2	37.9万t

鹿児島 4.3

北海道 9.1 ／ 岩手 5.4

夏秋キャベツ (主に7～10月に出荷)	群馬 51.0%		長野 13.1		そのほか 17.1	49.2万t

茨城 4.3

神奈川 4.3

冬キャベツ (主に11～3月に出荷)	愛知 31.8%	鹿児島 9.8	千葉 9.7	茨城 7.3	そのほか 37.1	55.6万t

0　10　20　30　40　50　60万t

[2017年/作物統計調査]

↑6 季節ごとのキャベツの産地

↑9 出荷　キャベツがいたまないように
低温輸送車で運びます。

↓7 キャベツの収穫　機械を使わず,人の手で収穫します。収穫の時期は,毎日明
け方から作業を始めます。

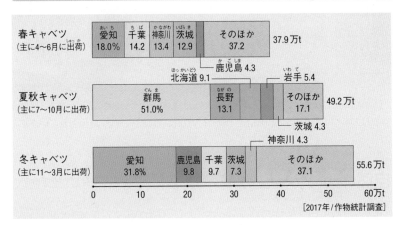

↑8 予冷庫で冷やす　箱づめされて運ばれたキャ
ベツは,予冷庫で冷やされ,きびしい品質検査を受
けます。

↑1 **スキーを楽しむ** スキー場には多くの観光客がおとずれます。

↑2 **スケートをする小学生** 村の小学生が参加するスケート大会も行われています。

↑3 **自転車レース** 毎年1回行われ, 全国から参加者が集まります。

↑4 **小学校の給食** 嬬恋村で収穫されたキャベツが使われています。

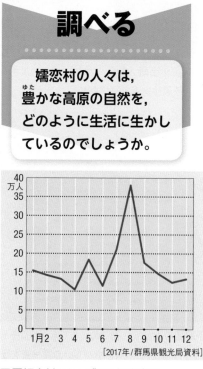

調べる

嬬恋村の人々は, 豊かな高原の自然を, どのように生活に生かしているのでしょうか。

↑5 嬬恋村をおとずれた観光客数
[2017年/群馬県観光局資料]

自然のめぐみを生かす 嬬恋村では, 高い土地ならではの自然や気候を生活に生かしています。

小学校では, 冬にスケートの授業や大会があります。また, 小学校の給食には, 嬬恋村で収穫されたキャベツが出されます。このように地元の小学生の生活には, 嬬恋村の自然のめぐみが生かされています。5

そのほかにも, 全国から嬬恋村をおとずれる観光客は, 夏にはハイキングやマラソン, 自転車レース, 冬にはスキーなど, たくさんの行事や活動を楽しんでいます。10

まとめる

嬬恋村の人々の
くらしや産業における
くふうについて，
ノートにまとめましょう。

まとめの活動に**ことば**を生かそう。

ことば
● 高原野菜
● 促成さいばい・抑制さいばい

学習問題を確認しよう。

学習問題

高い土地に住む人々のくらしや産業には，
どのようなくふうがあるのでしょうか。

ノートにまとめる　めいさんたちは，学習をふり
返って，嬬恋村の人々のくらしや産業について
ノートにまとめることにしました。

調べてわかったこと

| 嬬恋村の人々は，どのようにして今のような土地にしてきたのでしょうか。 | ● 火山ばいが積もってできた土地で，もともと土地はやせていた。
● 村の人々は土地を耕し，高原ならではのさいばい方法をくふうして，キャベツづくりがさかんになった。 |

嬬恋村のキャベツづくりには，どのようなくふうがあるのでしょうか。

嬬恋村の人々は，豊かな高原の自然を，どのように生活に生かしているのでしょうか。

考えたこと

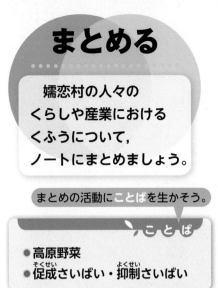

嬬恋村はキャベツ生産がさかんで，「高原野菜の村」として知られています。また，夏はマラソン大会や自転車レース，冬はスキーやスケートなどで村の人も観光客も楽しんでいました。地域の人々が，高い土地であることを生かして，今の嬬恋村をつくってきたのだと思います。

学習したことをふり返って，空らんに書きこんでみましょう。

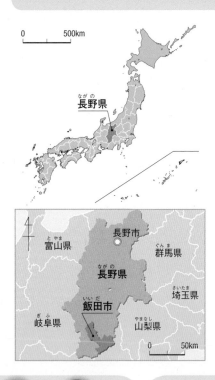

↑①斜面に家が建てられている下栗地区

ひろげる　山地の人々のくらし

調べる

山地の人々のくらしには，どのような特色があるのでしょうか。

↑②60年前の下栗地区

山地でくらすくふう　長野県飯田市上村下栗地区は，長野県の南に位置しています。目の前に南アルプスの山々が連なり，高さ800mから1000mの高低差のある急な斜面に，畑と家が散らばっています。60年ほど前までは細い道しかなかった 5 ため，荷物を運ぶのは馬を使うか，人の力にたよっていましたが，約50年前に自動車が通れる道路ができました。今では，飯田市の中心部まで，約1時間で行くことができます。

　下栗の土地は水はけがよく，土地が肥えている 10 ことから，農作物をつくるのに適しています。南に面しているので日照時間が長く，冬の寒い時期も気温が氷点下になることはほとんどありません。

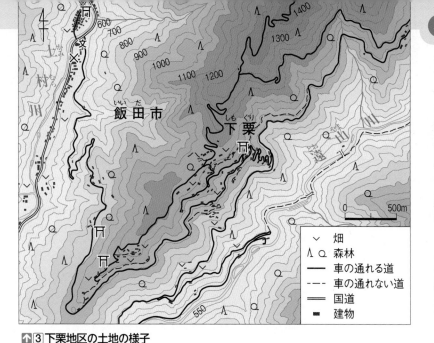

↑③下栗地区の土地の様子

↑④斜面につくられた畑

ひろとさんたちは，下栗地区では地形に合わせてどのような作物をさいばいしているのかを知りたいと考え，下栗に住んでいる野牧さんに手紙で質問（しつもん）しました。

↑⑤下栗いも

5 下栗に住む野牧さんからの手紙

下栗地区では，豊（ゆた）かな土地を生かしてさまざまな作物をつくってきました。「下栗いも」は，一年間に二度とれたことから二度いもとよばれています。実がしまっていてとてもおいしいと評判（ひょうばん）になり，地域の特産品となっています。そばも高い土地でつくるのに適していることから，多くの家でさいばいしています。
10

最近では，下栗の美しい景観を見るために，多くの観光客がおとずれるようになりました。下栗の人たちは，景観を楽しめる場所を整備（せいび）したり，
15 おとずれる人たちを案内したりするなどの取り組みをしています。

↑⑥小学生のそばかり体験

春　夏　冬　秋

↑1 長野県松本市の四季

4　国土の気候の特色

つかむ

日本の気候について考え，学習問題をつくりましょう。

ことば

気候　その地域の天気（晴れや雨など），気温，風などの長い年月の平均的な状態が気候です。気候は，人々の生活や産業にえいきょうをおよぼしています。

四季の変化がある日本の気候　長野県松本市では，春には桜がさき，夏には太陽の光がふり注ぎ，秋には木々が紅葉し，冬には雪景色が見られます。6月中ごろから7月ごろにかけては，雨が多くふるつゆの時期です。そして，夏から秋にかけては台風がやってきます。大きな被害をもたらすことも少なくありません。

四季の変化が見られることは，日本の気候の大きな特色です。また，季節ごとに美しい自然の風景を楽しむことができます。

やってみよう

みなさんの身近な地域では，季節によってどのような変化がありますか。話し合ってみましょう。

えぞやまざくら

5月10日

*1981〜2010年の平均

5月10日

4月30日　4月30日

4月20日　4月20日

4月10日　4月10日

3月31日

3月31日　そめいよしの

3月25日　3月25日

3月25日

3月25日

[気象庁資料]

ひかんざくら

1月19日

1月16日　1月18日

1月16日　1月20日

↑2 桜がさきはじめる時期

↑3 流氷（北海道知床半島）

3月

↑4 スキー場（山形県蔵王）

↑5 桜（福岡県福岡市）

↑6 海開き（沖縄県石垣島）

日本の気候は，時期や場所によってどのようにちがうのかな。

調べること

・つゆと台風，季節風のえいきょう。

・各地の気候の特色。

　ひろとさんたちは，日本の気候の様子について，資料や写真を見て話し合いました。

「桜のさきはじめる時期は，場所によってちがうようだよ。」

5
「3月の沖縄と北海道では，あたたかさが大きくことなるのかな。」

「つゆや台風のえいきょうも，地域ごとにちがうのかな。」

「日本のどの地域でも，四季の変化は同じなのかな。」

10

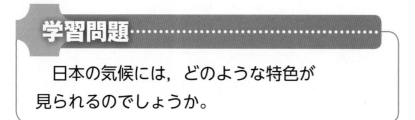

学習問題‥‥‥‥‥‥‥‥‥‥‥‥‥‥‥‥

　日本の気候には，どのような特色が見られるのでしょうか。

7月の降水量	1月の降水量
→ 7月の風向き	→ 1月の風向き

400mm以上
200〜400mm
100〜200mm
50〜100mm
50mm未満
未観測

〔気象庁資料〕

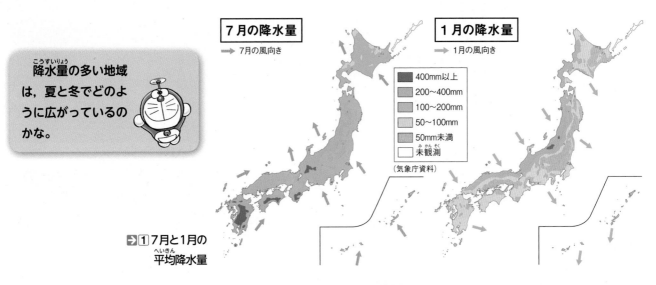

→① 7月と1月の平均降水量

調べる

日本のつゆや台風，季節風にはどのような特色があるのでしょうか。

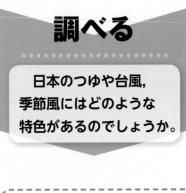

降水量

雨だけでなく，雪や霜なども水として計算し，その量をmmで示しています。

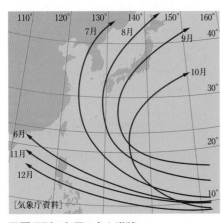

↑② 月別の台風の主な進路

つゆと台風，季節風　つゆとは，6月中ごろから7月ごろにかけて，雨が多くふる時期のことです。場所によっては，短時間で多くの雨がふります。農業にとっては，めぐみの雨となる大切な時期です。

台風は，夏から秋にかけて日本をおそいます。特に，沖縄や九州，四国地方は，台風の被害が多い地域です。

また，日本では夏と冬に季節風がふきます。夏には南東（太平洋）から，冬は北西（ユーラシア大陸）からふきます。夏には太平洋側に多くの雨をふらせ，冬には日本海側に雨や雪をもたらします。

↑③ つゆの時期の様子（神奈川県鎌倉市）　　↑④ 台風の被害（沖縄県うるま市）

⑤**季節風**　夏には，太平洋から季節風がふき，太平洋側にたくさんの雨をふらせます。冬の季節風は，日本海をわたってくるときに水分をたくさんふくみます。そして，山地にぶつかるとたくさんの雪をふらせます。

↑⑥雪におおわれた新潟県湯沢町

　ひろとさんたちは，つゆや台風，季節風のえいきょうについて，話し合いました。

「夏は，つゆや台風のえいきょうで，日本全体で雨が多いです。特に太平洋側で多く

5　の雨がふります。」

「夏の北海道は，ほかの地域と比べて雨が少なく，つゆがありません。」

「台風の強い風と多くの雨で，電柱や木がたおれたり，作物がだめになったりするな

10　ど，大きな被害がでることもあります。」

「冬の日本海側では，雪がふる日が多く，太平洋側では晴れる日が多いです。」

「つゆや台風，季節風によって，雨や雪の量が地域や季節ごとにことなります。」

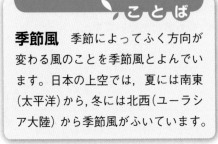
↑⑦明るい空が広がる群馬県高崎市　日本海側の新潟県で雪がたくさんふる2月でも，山をこえた群馬県高崎市では晴天の日が続きます。

ことば

季節風　季節によってふく方向が変わる風のことを季節風とよんでいます。日本の上空では，夏には南東（太平洋）から，冬には北西（ユーラシア大陸）から季節風がふいています。

45

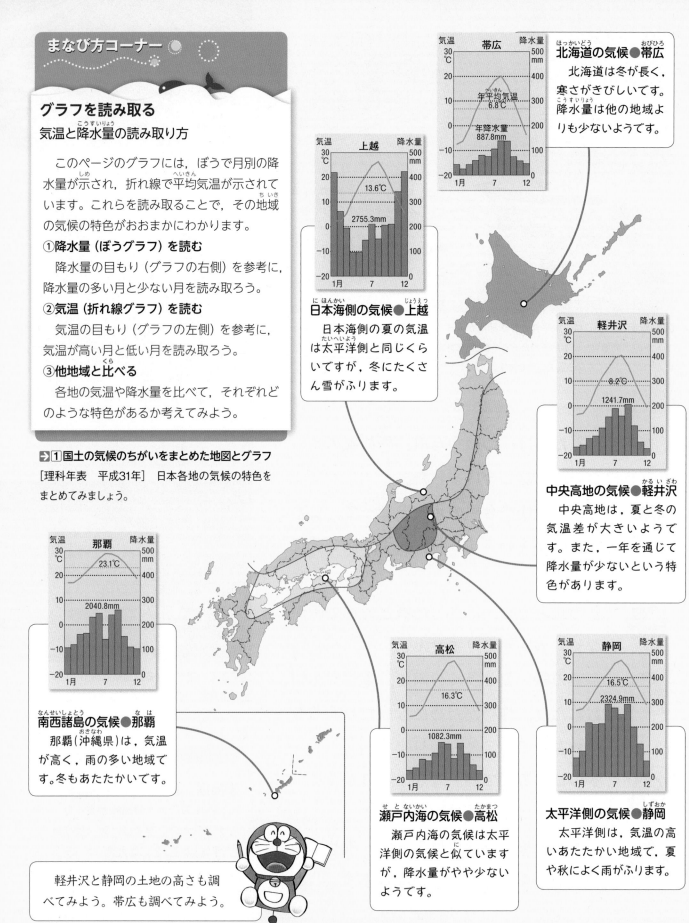

まなび方コーナー

グラフを読み取る
気温と降水量の読み取り方

　このページのグラフには，ぼうで月別の降水量が示され，折れ線で平均気温が示されています。これらを読み取ることで，その地域の気候の特色がおおまかにわかります。

①降水量（ぼうグラフ）を読む

　降水量の目もり（グラフの右側）を参考に，降水量の多い月と少ない月を読み取ろう。

②気温（折れ線グラフ）を読む

　気温の目もり（グラフの左側）を参考に，気温が高い月と低い月を読み取ろう。

③他地域と比べる

　各地の気温や降水量を比べて，それぞれどのような特色があるか考えてみよう。

→①国土の気候のちがいをまとめた地図とグラフ

［理科年表　平成31年］　日本各地の気候の特色をまとめてみましょう。

北海道の気候●帯広
　北海道は冬が長く，寒さがきびしいです。降水量は他の地域よりも少ないようです。

気温　帯広　降水量
年平均気温 6.8℃
年降水量 887.8mm

日本海側の気候●上越
　日本海側の夏の気温は太平洋側と同じくらいですが，冬にたくさん雪がふります。

気温　上越　降水量
13.6℃
2755.3mm

中央高地の気候●軽井沢
　中央高地は，夏と冬の気温差が大きいようです。また，一年を通じて降水量が少ないという特色があります。

気温　軽井沢　降水量
8.2℃
1241.7mm

南西諸島の気候●那覇
　那覇（沖縄県）は，気温が高く，雨の多い地域です。冬もあたたかいです。

気温　那覇　降水量
23.1℃
2040.8mm

瀬戸内海の気候●高松
　瀬戸内海の気候は太平洋側の気候と似ていますが，降水量がやや少ないようです。

気温　高松　降水量
16.3℃
1082.3mm

太平洋側の気候●静岡
　太平洋側は，気温の高いあたたかい地域で，夏や秋によく雨がふります。

気温　静岡　降水量
16.5℃
2324.9mm

　軽井沢と静岡の土地の高さも調べてみよう。帯広も調べてみよう。

地域によってことなる気候　ひろとさんたちは，資料をもとに，気づいたことを話し合いました。

「日本は，南北に細長いので，北と南で大きく気候がことなっています。」

5　「季節風と山地のえいきょうによって，太平洋側では夏に雨が多く，日本海側では冬に多くの雪がふります。」

「日本列島の内側の中央高地や瀬戸内海は，降水量が少ないです。」

10　「土地の高いところでは，気温が低くなるようです。」

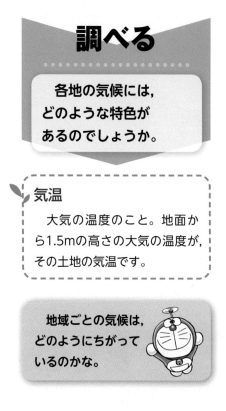

調べる

各地の気候には，どのような特色があるのでしょうか。

気温

大気の温度のこと。地面から1.5mの高さの大気の温度が，その土地の気温です。

地域ごとの気候は，どのようにちがっているのかな。

まとめる

日本の気候の特色についてまとめましょう。

ノートにまとめる　ひろとさんたちは，日本の気候の特色を示すキーワードをあげ，それを使って，ノートにまとめました。

まとめの活動に**ことば**を生かそう。

ことば
● 気候　　● 季節風

学習問題を確認しよう。

学習問題

日本の気候には，どのような特色が見られるのでしょうか。

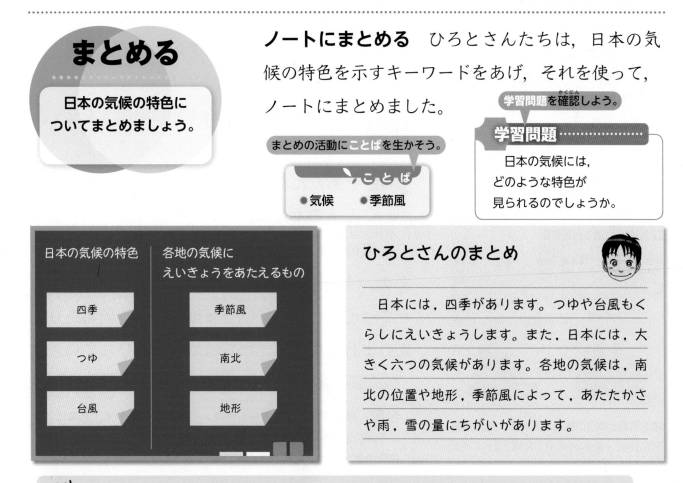

日本の気候の特色	各地の気候にえいきょうをあたえるもの
四季	季節風
つゆ	南北
台風	地形

ひろとさんのまとめ

日本には，四季があります。つゆや台風もくらしにえいきょうします。また，日本には，大きく六つの気候があります。各地の気候は，南北の位置や地形，季節風によって，あたたかさや雨，雪の量にちがいがあります。

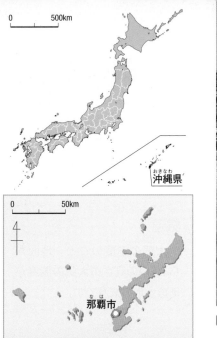

 ①3月の海開き（沖縄県竹富島）　沖縄では，3月から4月にかけて海開きが行われます。

5　あたたかい土地のくらし ―沖縄県―

つかむ

沖縄県の家やくらしの
くふうについて考え，
学習問題をつくり
ましょう。

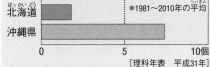

↑②1年間に通る台風の数

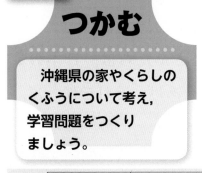

↑③那覇と東京の気温と降水量　[理科年表 平成31年]　自分たちの住む地域と比べてみましょう。

沖縄県の家やくらしのくふう　沖縄県は，一年を通してあたたかい地域です。一方で，台風が多く来る地域でもあります。

「沖縄では3月から4月に海開きをして，10月中ごろまで海に入れるそうだよ。」

「あたたかくていいね。でも台風がたくさん通るんだね。」

台風の多い沖縄は，家のつくりにくふうがあります。沖縄の伝統的な家では，石灰とねん土を混ぜてつくったしっくいで屋根がわらを固めたり，家のまわりをさんごの石垣で囲んだりしています。

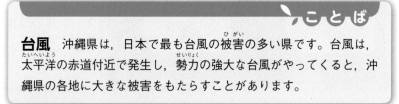

ことば

台風　沖縄県は，日本で最も台風の被害の多い県です。台風は，太平洋の赤道付近で発生し，勢力の強大な台風がやってくると，沖縄県の各地に大きな被害をもたらすことがあります。

5　寒い土地のくらし（56〜63ページ）と，どちらかを選んで学習しましょう。

あたたかい土地の家にはどのようなくふうがあるのかな。

↑④現在のコンクリートづくりの家　沖縄県には広い森林が少なく，川が短いため，昔から水不足になやまされてきました。現在も多くの家の屋上には貯水タンクが備えられています。

「今の沖縄の家は，コンクリートづくりで屋根を平らにしているね。」

「屋上には，水不足に備えて貯水タンクがあるよ。」

5 「台風や水不足などからくらしを守るくふうがされているんだね。」

　あおいさんたちは，沖縄県の家にはあたたかい気候に合わせたくふうがあることがわかりました。

「ほかにも，あたたかい気候に合わせたくらしを営んでいるのではないかな。」

10 「沖縄ならではの産業を営んでいるのではないかな。」

しっくいでとめたかわら　　ふくぎ（防風林）

シーサー（守り神）

さんごの石垣

↑⑤沖縄県の伝統的な家　高い気温や湿度をしのぐために，戸を広くとって家の中の風通しをよくしています。

学習問題 ・・・・・・・・・・・・・・・・・・・・・・・・・・・・・

　沖縄県の人々は，あたたかい気候をどのようにくらしや産業に生かしているのでしょうか。

調べること

・あたたかい気候を生かした農業。

・冬でもあたたかい気候を生かした産業。

・人々が守ってきた文化や自然。

↑2 さとうきび畑　収穫時には，高さが2mにもなります。

↑1 沖縄県の主な農作物の作付面積

（グラフ：さとうきび，飼料（動物のえさ），野菜＊，たばこ，きく，稲，パイナップル）
＊は2016年
［2017年／農林水産省資料ほか］

調べる

沖縄県の人々は，あたたかい気候を生かしてどのような産業を営んでいるのでしょうか。

製糖工場で砂糖をつくる工程

← 収穫したさとうきびを運びこむ

↓

← 細かくくだく

↓

← 混ぜてかまでにつめる

↓

← 砂糖の結晶と蜜を分離して完成

あたたかい気候に合った農業

日差しに強く，気温や湿度の高い気候に合ったさとうきびは，沖縄県内でいちばん多くつくられている作物です。

沖縄県の人々は，かんばつや台風にも強いさとうきびを「沖縄の宝」とよんで大切にしています。人々は，台風による被害を小さくできるようにくふうを重ねてきました。

製糖会社の砂川さんの話

さとうきびは，12月ごろから3月ごろに収穫します。この約4か月間は，24時間工場が動き続けるとてもいそがしい時期です。収穫されたさとうきびは，製糖会社に集められ，白い砂糖のもとになる原料糖がつくられます。原料糖は，その後本州などに運ばれて，みなさんがよく目にする白い砂糖がつくられます。

また，糖分をしぼられた後のさとうきびは，「バガス」とよばれ，発電の燃料や畑の肥料などとして使われます。さとうきびは，すてるところがありません。

5

10

15

↑③ パイナップルの収穫

↑④ ゴールドバレル　沖縄県が約20年かけて開発した品種で，果肉があざやかでやわらかいのが特ちょうです。ほかの品種に比べて高い価格ではん売されています。

　沖縄県では，さとうきびのほかに，パイナップルやシークワーサー，マンゴーなど果物のさいばいも行っています。特にパイナップルは，国内産のほとんどが沖縄県で生産されています。

5　パイナップルは，主に沖縄島の北部でつくられています。最近はさまざまな品種がつくり出され，ひと玉数千円する高価なものもあります。

パイナップル農家の新城さんの話

　パイナップルは植え付けてから収穫まで約
10　2年もかかります。沖縄の暑い日差しで果実が日焼けしないように，一つ一つふくろに包んだり，ネットをかけたりしてくふうしています。収穫は夏の暑い時期に行いますが，葉の先にあるとげから体を守るため，厚い作業服を着て収穫するのでとても大変です。昔はかんづめ用のもの
15　をつくっていましたが，現在は生食用の価格の高いパイナップルもたくさんつくるようになっています。たくさんの人らおいしいと言われて，やりがいがあります。

あたたかい気候を生かしたきくづくり

　沖縄県では，きくづくりもさかんです。特に，あたたかい気候を生かして，ほかの産地の出荷の少ない12月や3月に出荷できるきくは，沖縄県の花づくりの中心になっています。

↑きくの出荷作業　11月ごろまで夏のような暑さが続く沖縄県では，きくは冬に花をさかせます。

↑電照ぎく　電灯を使って，花がさく時期を調整するので電照ぎくとよばれています。

↑① 観光客が集まるビーチ

↑② 沖縄県のさんごしょう

調べる

沖縄では，あたたかい気候をどのように生かしているのでしょうか。

↑③ プロ野球のキャンプ（沖縄県名護市）多くのプロスポーツチームが，冬でもあたたかい沖縄で1月から2月ごろにキャンプを行っています。

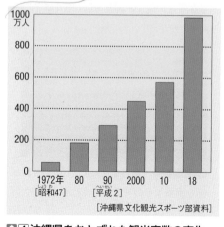

↑④ 沖縄県をおとずれた観光客数の変化

[沖縄県文化観光スポーツ部資料]

あたたかい気候を生かした観光と沖縄の課題

一年を通してあたたかく，美しい自然が残されている沖縄県は，多くの観光客がおとずれ，観光産業がさかんです。沖縄県では，年間観光客数1200万人をめざして，リゾート開発や特産物の開発に取り組んでいます。また，プロ野球やプロサッカーチームのキャンプも多く行われています。

一方で，観光施設や道路の建設などによって，赤土が海に流れこみ，さんごしょうをだめにするなどの問題も起こっています。沖縄県の人々は，美しい自然を大切にしていく取り組みも行っています。

沖縄県庁の嘉手苅さんの話

一年を通してあたたかく，美しい砂浜や世界遺産の首里城などの観光地にめぐまれた沖縄は，観光産業がさかんです。日本国内はもとより，近年は外国人観光客も増えています。沖縄県では，外国から来る航空機やクルーズ船を増やす取り組みや，さまざまな言語の案内標識の設置を進めるなどのくふうをしています。

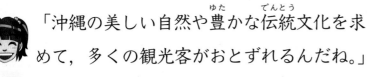

↑⑤白化したさんごしょう　主に海水の温度が上がることなどによって，さんごしょうが弱ってしまうと白化現象が起こります。

↑⑥海に流れこんだ赤土　沖縄県の土じょうに多い赤土が，開発などによって海に流れこみ，海の環境を悪化させることがあります。

「沖縄の美しい自然や豊かな伝統文化を求めて，多くの観光客がおとずれるんだね。」

「一方で，海がよごれてしまったり，さんごしょうがだめになってしまったりする問題も起きています。」

「沖縄の人たちは，美しい自然と伝統を守りながら，発展していくことを願っていると思います。」

沖縄戦とアメリカの軍用地

　沖縄県は，75年ほど前の太平洋戦争ではげしい戦場となり，戦争のあともアメリカの占領が長く続きました。1972（昭和47）年に日本に返されたあとも，アメリカの軍用地が残されています。土地利用図からは，沖縄島で軍用地が広い面積をしめていることがわかります。

→⑦沖縄県にある米軍基地（沖縄市，嘉手納町，北谷町）

2019年
[沖縄県資料ほか]

	市街地
	耕地
	森林，緑地
	そのほか
	アメリカの軍用地

↑⑧沖縄島とその周辺の土地利用

↑①首里城　140年ほど前まで，沖縄県には王国がありました。首里城はそのころの建物をよみがえらせたもので，世界文化遺産に登録されています。

↑②エイサー　地域には，エイサーとよばれるおどりが今も残っています。

↑③沖縄県の料理　ゴーヤーやもずくなど，沖縄県の特産物が使われています。

↑④琉球舞踊とよばれる伝統的なおどりと三線　人々が着ている服には紅型とよばれる独特な染物が使われています。三線は，沖縄県の歌やおどりには欠かせない楽器です。

調べる

沖縄県の文化は，どのようなものでしょうか。

ことば

文化　地域のくらしの中で，わたしたちの祖先が長い時間をかけてつくりあげた習慣やくらし方，ものの見方などのことです。伝統的な行事や言葉，衣食住なども文化です。

古くからの文化を守る　沖縄県では，アジアの国々との貿易や交流で古くから豊かな文化を育ててきました。また，日本の南の玄関口として大きな役わりを果たしてきました。

　沖縄県の人々は，ふるさとを愛する気持ちをわすれず，自分たちの文化にほこりをもって生きてきました。くらし方が変わった今でも，人々は自分たちの文化を大切に守り，次の世代に引きつごうとしています。 5

世界じゅうから沖縄県出身者が集まる大会

　沖縄県出身の人で世界各地に移住した人たちは，その子どもたちも合わせて約42万人にのぼるといわれています。沖縄県の方言で，沖縄県の人を「ウチナーンチュ」といいますが，世界じゅうから沖縄県出身者が集まる「世界のウチナーンチュ大会」が5年に一度開かれます。

　2016（平成28）年に開かれた第6回大会では，世界の27か国，2地域から7353人のウチナーンチュが参加しました。

↑⑤ 大会のパレードに参加する人々

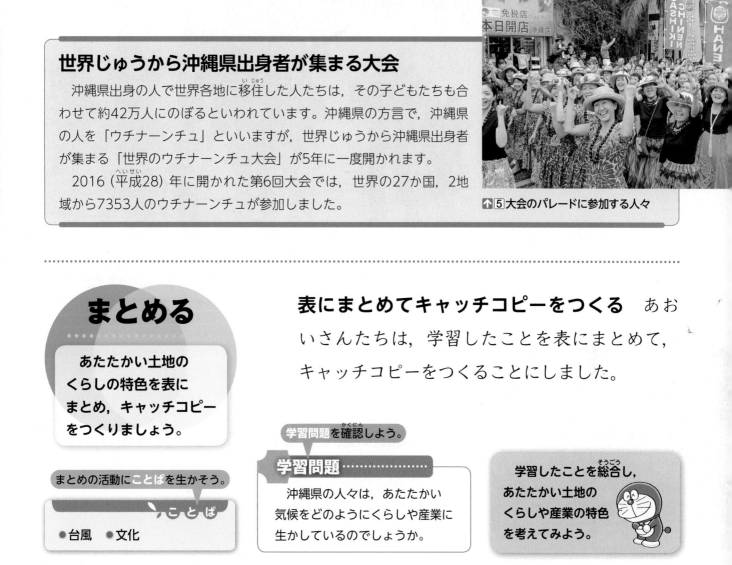

まとめる

あたたかい土地のくらしの特色を表にまとめ，キャッチコピーをつくりましょう。

まとめの活動に**ことば**を生かそう。

ことば
● 台風　● 文化

表にまとめてキャッチコピーをつくる　あおいさんたちは，学習したことを表にまとめて，キャッチコピーをつくることにしました。

学習問題を確認しよう。

学習問題
　沖縄県の人々は，あたたかい気候をどのようにくらしや産業に生かしているのでしょうか。

学習したことを総合し，あたたかい土地のくらしや産業の特色を考えてみよう。

学習内容	キーワード
沖縄県の家やくらしのくふう	屋上のタンク，防風林，さんごの石垣，シーサー
あたたかい気候に合った農業	さとうきび，パイナップル，電照ぎく
あたたかい気候を生かした観光と沖縄の課題	美しいビーチ，リゾート開発，さんごの白化
古くからの文化を守る	首里城，エイサー

キャッチコピー ▶ 「台風にも水不足にも負けないさとうきび」

学習をふり返って考えたことやキャッチコピーをつくったわけ ▶ さとうきびを沖縄では「うーじ」というそうです。日差しに強く，かんばつにも強いさとうきびは，昔から沖縄の農業を支えてきたそうです。現在は，パイナップルやきくなどのさいばいもさかんですが，さとうきびはこれからも沖縄の農業を支えていくと思います。

→⑥ あおいさんのノート

↑1 **スキー学習**（北海道札幌市）　北海道では，スキーやスケートの学習を行う学校があります。

5 寒い土地のくらし ―北海道―

つかむ

北海道の家やくらしの
くふうについて考え，
学習問題を
つくりましょう。

北海道の家やくらしのくふう　北海道は，冬は寒く，夏はすずしい気候で，毎年多くの雪がふります。札幌市は人口が多く，約190万人がくらしています。

「学校でスキーの学習があるんだね。とても楽しそうにスキーをしています。」

「札幌市は，ほかの都市と比べても，人口が多くて雪のふる量も多いね。」

「寒くて雪が多いと，くらしにこまることもあるのではないでしょうか。」

↑2 札幌と東京の気温と降水量 ［理科年表
平成31年］

気温　札幌　降水量
年平均気温
8.9℃
年降水量
1106.5mm

気温　東京　降水量
15.4℃
1528.8mm

	札幌市	青森市	秋田市	盛岡市	山形市	仙台市	福島市
人口 （万人，2017年）	194.7	29.0	31.5	29.3	24.9	105.9	28.3
1年間の雪のふる量 （cm，1981年から 2010年の平均）	597	669	377	272	426	71	189

↑3 札幌市と東北地方の県庁所在地の人口と雪のふる量　　　　［気象庁資料ほか］

5　あたたかい土地のくらし（48〜55ページ）と，どちらかを選んで学習しましょう。

急な角度のついた屋根

二重まど

玄関フード

たくさんの断熱材

不凍せん

大きな灯油タンク

雪をとかす温水パイプ

↑4 寒い地域の家のくふう

寒い土地の家には
どのようなくふうが
あるのかな。

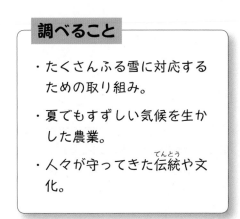

↑5 無落雪の家と屋根　屋根の中央が低く
なっています。

雪や寒さに備えて，北海道の家には，断熱材が
たくさん用いられています。玄関フードがあった
り，二重まどを使ったりするなど，室内のあたた
かさをにがさないようにくふうされています。

5　　また最近では，屋根の雪が下に落ちないように
くふうされた無落雪の家が多く見られます。屋根
が内側にむかってかたむき，多くの雪がつもらな
いようにくふうされています。

「家のほかにも，雪や寒さに備えるための
くふうがあるのではないかな。」

10　「たくさんふる雪には，どのように対応し
ているのかな。」

学習問題

北海道の人々は，雪や寒い気候をどのように
くらしや産業に生かしているのでしょうか。

調べること

・たくさんふる雪に対応する
　ための取り組み。

・夏でもすずしい気候を生か
　した農業。

・人々が守ってきた伝統や文
　化。

↑①除雪作業

↑②雪たい積場の様子　除雪した雪をトラックなどでたい積場に運びます。

↑③ゆう雪施設の様子　下水処理の水などを活用し、雪を入れてとかします。

調べる

札幌市に住む人々は、雪とともにどのような生活を営んでいるのでしょうか。

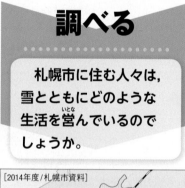

[2014年度/札幌市資料]

・雪たい積場
★ゆう雪施設

0　　10km

↑④札幌市の雪たい積場とゆう雪施設　雪たい積場はこう外に多くつくられ、せまい面積でも雪を処理することができるゆう雪施設は中心部に多くつくられています。

札幌市の雪対策と雪を生かした観光

190万人以上の人がくらす札幌市には、多くの雪がふります。交通や人々の生活をおびやかす雪への対策は欠かせません。

「多くの人々が住んでいるから、雪で道路がふさがったら大変だね。」　5

「わずか1日で、50cm以上の雪がふったこともあるそうです。」

札幌市雪対策室の柳澤さんの話

世界的に見ても、人口が100万人以上の都市で、毎年6m近くもの雪がふるのは札幌市　10
だけです。札幌市では、人々の生活にえいきょうが出ないように、雪対策に力を入れています。雪の多い日は、夜中から朝の通きん時間まで、1日に除雪車約1000台、約3000人で道路などの雪を取りのぞきます。　15

除雪した雪は、約70か所ある雪たい積場に運びます。雪たい積場は広い土地を必要とするため、市街地の拡大とともに、こう外につくられることが多くなりました。市の中心部には、ゆう雪施設をつくるなどのくふうをしています。

↑⑤雪まつりでつくられる雪像

↑⑥雪まつりでの雪遊び体験

　札幌市では，雪や夏のすずしさを生かした観光もさかんです。

「雪まつりには，きれいな雪像(せつぞう)がつくられ，たくさんの人が見にくるそうです。」

5　「雪まつりでは，すべり台などの遊び場も雪でつくられ，とても楽しそうだよ。」

「雪を楽しみに，多くの観光客がおとずれているんだね。」

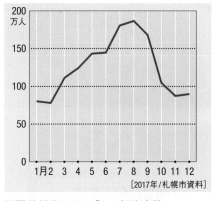
↑⑦札幌市をおとずれた観光客数

観光客が少ない季節には，どのようなくふうをしているのかな。

札幌市役所の雪まつりを担当(たんとう)する大内(おおうち)さんの話

10　　夏でもすずしい北海道は，夏がいちばんの観光シーズンです。札幌をきょ点に，北海道(どう)の各地に移動される方もたくさんいます。一方，冬は寒さがきびしいので，冬の観光客は多くありません。札幌市では，冬に雪まつりを行い観光客の増加(ぞうか)に努めています。雪まつり

15　は，市民だけでなく観光客にも親しまれ，今では多くの人々を集める世界に知られるイベントとなりました。

　　雪まつりはもともと，すてられた雪を利用しようと中学生や高校生が始めたお祭りがきっかけでした。市民をなやませていた雪が有効(ゆうこう)に利用されています。

↑⑧夏の大通公園(おおどおり)　札幌市では，7月から9月ごろのあたたかい時期に観光客が多くやってきます。写真の大通公園は，2月には雪まつりの会場になります。

道から道まで545m

調べる

十勝地方の人々は，自然を生かしてどのような産業を行っているのでしょうか。

輪作

一つの畑には去年とはちがうものを植えます。こうすることで，作物の病気を防ぐ(ふせ)ことができます。一つの種類の作物をつくれなくなると，輪作はうまくいかなくなります。

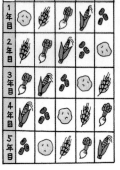

	火田①	火田②	畑③	火田④	畑⑤
1年目					
2年目					
3年目					
4年目					
5年目					

じゃがいも　スイートコーン　あずき　てんさい　小麦

← ② 輪作のやり方

十勝地方の自然を生かした農業(とかち)　こうたさんは，広大な平地が広がり，夏もすずしい気候の十勝平野で，どのような農産物がつくられているのか調べたいと思いました。そこで，十勝地方で農業を営む(いとな)坂東(ばんどう)さんに話をうかがうことにしました。 5

農家の坂東さんの話

わたしの家では，じゃがいもをはじめとして，あずき，スイートコーン，てんさい，小麦をつくっています。どれも，十勝地方の気候に合った作物です。5種類の作物を順にちがう畑で育てる輪作(りんさく)をしているので，7月に見られる畑のもようは，毎年ちがっています。北海道(ほっかいどう)らしい畑の風景も，農家のくふうの表れなのです。 10

↑ ③ **てんさいの収穫**(しゅうかく)　さとうだいこんともいい，砂糖(さとう)の原料になります。

15

60

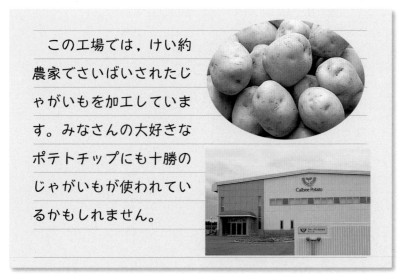

↑①7月下旬の十勝平野　耕作されていない土地はほとんどありません。茶色の部分は，小麦をかり取ったあとの畑です。どうして畑によって色のちがいがあるのか考えてみましょう。

まなび方コーナー

写真の読み取り方
航空写真を読み取る

1. 写真全体をながめて，畑の広さや形，つくられているものなどからいえることを考える。
2. その理由を，坂東さんのさいばいのくふうの話や，使われている機械の大きさとつなげて考え，予想してみる。

この工場では，けい約農家でさいばいされたじゃがいもを加工しています。みなさんの大好きなポテトチップにも十勝のじゃがいもが使われているかもしれません。

↑④坂東さんのもつ大きな機械　これはじゃがいもを収穫する機械です。

ヘクタール (ha)

　たて100m×横100mの面積のことです。

坂東さんは，53haもの広い畑をもっています。十勝地方の農家は，平均で約40haの畑をもっています。これは，全国の農家の平均と比べて20倍以上の広さです。畑の規模の大きい十勝地方では，大型の機械を使って作業が行われています。

↑② **チセ**（アイヌの人々の家）　今からおよそ100年前のもの。

←③ **チポ□ウシイモ**（チポロウシイモと読みます）アイヌの人々の伝統的な食事で，つぶしたいもに，いくらがそえてあります。

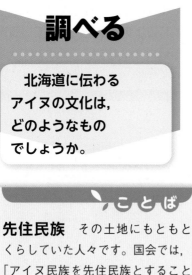

↑① **アットゥシ**（アトゥシと読みます）　アイヌの人々の伝統的な服で，ししゅうのもようは，地域の中で代々伝えられました。

↑④ **アイヌ民族のおどり**　帯広市を中心に活動している帯広カムイトウウポポ保存会は，長い歴史をもった代表的なアイヌ文化保存団体の一つです。

調べる

北海道に伝わるアイヌの文化は，どのようなものでしょうか。

ことば

先住民族　その土地にもともとくらしていた人々です。国会では，「アイヌ民族を先住民族とすることを求める決議」が採択されており，2020（令和2）年には北海道白老町に国立アイヌ民族博物館が開館します。わたしたちには，先住民族であるアイヌの人々の文化を大切にすることが求められています。

守ってきた文化を受けつぐ　北海道で昔から生活していたのは，先住民族であるアイヌの人々です。アイヌの人々は，どのようなくらしをしてきたのでしょうか。

アイヌの人々は，身近にある木や草でつくった　5
チセとよばれる家に住み，魚や動物，山菜をとったり，あわなどのざっこくを育てたりしながら，豊かな自然の中でくらしていました。自然のめぐみに感謝しながら，すべてのものや生き物に，カムイ（神）を感じてくらしていたのです。　10

また，本州やロシアなどと交流して，絹や木綿，しっきなどを手に入れていました。

アイヌ語がもとになった北海道の地名

　地図帳を広げて，北海道の地名を見てみると，ほかの地域ではあまり見られない読み方の地名を見つけることができます。

　北海道の地名の多くは，アイヌの人々が使うアイヌ語が由来となったとされています。北海道の各地の地名には，自然とともに生きてきたアイヌの人々の言葉が反えいされています。

[　]アイヌ語
(　)意味*
*諸説あります。

稚内[ヤムワッカナイ]
(冷たい水の川)

紋別[モペッ]
(静かな川)

知床[シリエトク]
(大地が頭をつき出す)

札幌[サッポロペッ]
(かわいた大きな川)

根室[ニムオロ]
(木がしげるところ)

小樽[オタルナイ]
(すなだらけの川)

帯広[オペレペレケプ]
(河口がたくさん分かれている川)

室蘭[モルラン]
(小さい坂)

苫小牧[トマクオマイ]
(ぬまのおくにある川)

↑5 アイヌ語がもとになったとされる主な地名

まとめる

寒い地方のくらしの特色を表にまとめ，キャッチコピーをつくりましょう。

まとめの活動に ことば を生かそう。

ことば
● 先住民族

表にまとめてキャッチコピーをつくる　こうたさんたちは，学習したことを表にまとめて，キャッチコピーをつくることにしました。

学習問題 を確認しよう。

学習問題
北海道の人々は，雪や寒い気候をどのようにくらしや産業に生かしているのでしょうか。

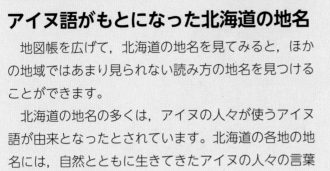

学習したことを総合し，寒い土地のくらしや産業の特色を考えてみよう。

学習内容	キーワード
北海道の家やくらしのくふう	二重まど，灯油タンク，無落雪の家など
札幌市の雪対策と雪を生かした観光	除雪作業，たい積場とゆう雪施設，雪まつり
十勝地方の自然を生かした農業	畑の規模の大きい農業，大型機械，小麦，とうもろこし，てんさい，じゃがいもなど
守ってきた文化を受けつぐ	アイヌの人々，先住民族

キャッチコピー ▶ 「雪をこく服し，雪とともに生きる北海道」

学習をふり返って考えたことやキャッチコピーをつくったわけ ▶ 1年で6mもの雪がふる札幌市は，たい積場とゆう雪施設の配置をくふうして除雪が早くできるようにし，人々の生活がこまらないようにしています。しかし，雪は人々をこまらせるだけではありません。雪まつりには，たくさんの観光客がおとずれていて，人々を楽しませることにも役立ちます。

→6 こうたさんのノート

↑①道路の除雪　積雪が多い日の早朝に行います。

ひろげる　雪国の人々のくらし

調べる

雪国の人々の
くらしには，どのような
特色があるのでしょうか。

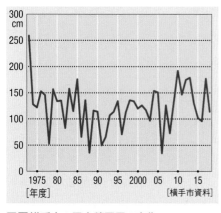

↑②横手市の最大積雪量の変化

雪とともにくらすまち　秋田県横手市のあたりは，日本の中でも雪が多く積もる地域の一つです。雪が積もると，人々は，雪おろしや雪かきなどの作業に追われます。

　2月に開かれる「かまくら」は，雪国ならではの伝統行事です。全国はもちろん，外国からも，多くの観光客がおとずれます。横手市の子どもたちも，「かまくら」の日をとても楽しみにしています。

　横手市では，2005（平成17）年，「雪となかよく暮らす条例」を定めました。雪からくらしを守るとともに，雪を生かし，雪とともにくらすまちづくりを進めています。

↑→③流雪こう　横手市の市街地には，流雪こうという，雪を川まで流してすてるための水路が整備されています。

↑④流雪こうのしくみ

↑⑤雪おろし　雪の重みで家がいたむのを防ぐため，屋根の雪をおろします。最近は，雪が自然に落ちるよう，屋根の形をくふうした家が増えています。

↑⑥⑥雪をれいぼうに役立てる公民館　冬に積もった雪を倉庫にためておき，その冷気を施設のれいぼうに利用しています。

「学雪」のすゝめ

←⑦「学雪」のすゝめ　横手市が，冬を快適に過ごすための情報を市民に提供しています。

↑⑧かまくら

野菜を保存するちえ

　日本海側の雪が多い地域では，雪に野菜をうめたり，小屋に雪を入れてその中に野菜を保存したりする人のすがたが見られることがあります。雪の冷たさは，野菜をおいしく保つにはちょうどよいといわれています。

　これは，気候を生かした，野菜の保存のちえです。

↑⑨野菜を雪の中で保存する

わたしたちの生活と食料生産

↑①すり身だんご鍋（茨城県大洗町）　すり身だんごには，大洗町でとれた新鮮ないわしが使われています。

↑②いとこ煮（富山県砺波市）　富山県のいとこ煮には，あずきとだいこんやにんじんなどが入っています。

↑③恵那鶏の夏野菜ソース（岐阜県中津川市）　岐阜県でつくられる恵那鶏と，色とりどりの夏野菜が使われています。

↑④ばらずしと月菜汁（香川県丸亀市）　ばらずしは，酢飯にえびなどの具を合わせています。月菜汁には，白玉だんごと野菜などが入っています。

いろいろな給食があるね。すり身だんごは何でできているのかな。

野菜や魚や肉など，いろいろなものが使われているね。

給食の材料　あおいさんたちは，全国の給食の写真を見ながら話し合っています。

「全国には，その地域の名産品を使った，おいしそうな給食がたくさんあるね。」

「わたしたちが食べている給食には，どのような材料が使われているんだろう。」⁵

あおいさんたちは，こんだて表を見ながら，給食で使われている材料を調べ，分類してみました。

わたしたちは，ふだん，どのようなものを食べているのでしょうか。

「農林水産省　こどもページ」

今日の給食

こんだて：牛乳・ごはん・いかのたつたあげ
　　　　　だいこんと油あげのみそしる
　　　　　ちくぜんに・オレンジ

いか　　こざら　　　オレンジ　牛乳
ちくぜんに　ごはん　ふかざら　みそしる　おわん

お昼の放送のお知らせ

今日は給食委員会の放送があります。
給食委員が今日のこんだてについて
クイズをするので、静かに放送を
聞いてください。

←⑤給食のこんだて

↑⑥今日の給食

あなたの学校の今日
の給食を分類してみよ
う。

米や豆
米　　大豆

くだもの
果物
オレンジ

【水産物】
いか
ちくわ

【農作物】

野菜
にんじん
こまつな
たけのこ
ごぼう

ちくさんぶつ
【畜産物】
ぎゅうにゅう
牛乳
とり肉

↑⑦あおいさんたちがまとめた分類

「わたしたちは，毎日いろいろなものを食
べているんだね。」

「給食の材料は，どこでどのようにつくら
れて，運ばれているのだろう。」

め　あ　て

わたしたちが食べているもの
は，どこでどのようにつくられ，
運ばれてきているのでしょうか。

67

→①スーパーマーケットのちらし

1 くらしを支える食料生産

→①スーパーマーケットのちらし

産地調べ あおいさんたちは，スーパーマーケットのちらしを家から持ちよりました。そして，野菜や果物などの食料品ごとに切り取り，産地を確認して地図の都道府県の上にはってみました。

「スーパーマーケットの食料品は，わたしたちの県や近くの県のものが多いね。」 5

「でも，遠くはなれた県からとどいている食料品もたくさんあります。」

「魚は新鮮なことが大切だけど，遠くはなれた県から運ぶのはたいへんです。」 10

「外国から来た食料品もたくさん売られています。」

つかむ

わたしたちが食べている食料品の産地について調べ，学習問題をつくりましょう。

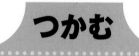 ことば

産地 あるものを生産する土地が産地です。産地では，地形や気候などの自然条件を生かして，さまざまな食料を生産しています。

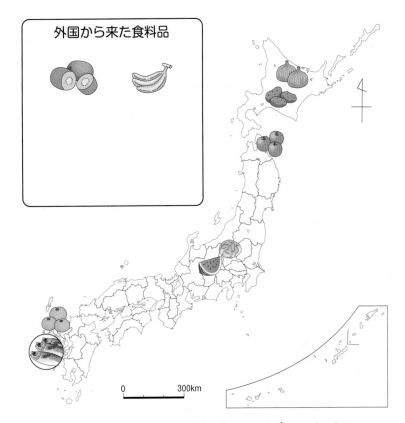

外国から来た食料品

↑②切り取ったスーパーマーケットのちらしを白地図にはる

わたしたちがふだん食べているものは，全国の産地で生産されたものです。なかには，外国から来た食料品もあります。日本では，地形や気候などの自然条件を生かして，各地で豊かな食料生産が営まれています。

スーパーマーケットで売られている食料品は，どこでつくられているのかな。

5

「米は寒いところで多く生産されるのかな。それともあたたかいところかな。」

「同じ果物でも，りんごやみかんでは取れるところがちがうようです。」

学習問題 ....

10 　わたしたちのくらしを支えている食べ物の産地は，どのように広がっているのでしょうか。

調べること

・米の主な産地。

・野菜や果物，畜産物，水産物の主な産地。

↑① 水の管理（山形県酒田市）

↑② 田植え（北海道東神楽町）

↑③ 稲かり（沖縄県石垣島）

↑④ 棚田での田植え（高知県檮原町）

調べる

米の主な産地は
どこでしょうか。

ことば

水田 米をつくるために，水を入れたたんぼのことを水田とよびます。日本では，多くのところで水田を見ることができます。

日本の米づくり わたしたちがくらす日本では，全国各地で米づくりが行われています。あおいさんたちのクラスでは，6月に写した，さまざまな地域の水田の写真を見ながら，気づいたことを話し合いました。

「日本のさまざまな地域で米づくりが行われているんだね。」

「同じ6月なのに，場所によって稲かりをしたり，田植えをしたりしてします。」

「日本は，場所によって気候にちがいがあることがよくわかるね。」

5

10

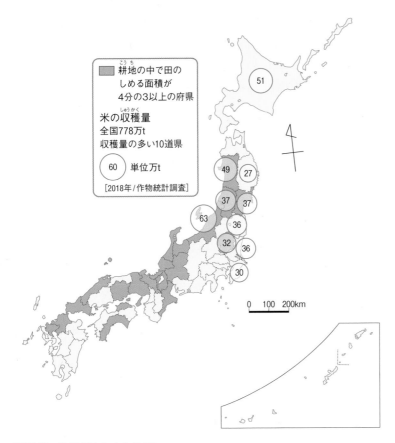

凡例:
- 耕地の中で田のしめる面積が4分の3以上の府県
- 米の収穫量 全国778万t
- 収穫量の多い10道県
- ⑥0 単位万t
- [2018年/作物統計調査]

51
49　27
37　37
63
36
32
36
30

0　100　200km

↑⑤米の生産がさかんな地域

「米づくりは，日本のどこでさかんに行われているのだろう。」

「上の図を見ると，米は寒いところで多く生産されているようだね。」

5　「野菜や果物などの食べ物も，米と同じように，自然の特色を生かして，日本各地で生産されているのかな。」

　米の主な産地について調べたあおいさんたちは，野菜づくり，果物づくり，畜産のさかんな地域についても，資料をもとに調べてみることにしました。

10

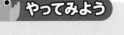やってみよう

①米が多くつくられている都道府県はどこでしょうか。左の図を見て，上位五つの都道府県を下の表に書きこんでみましょう。
②米の産地はどのように広がっているでしょうか。下の円グラフを見て，考えてみましょう。

1 位	
2 位	
3 位	
4 位	
5 位	

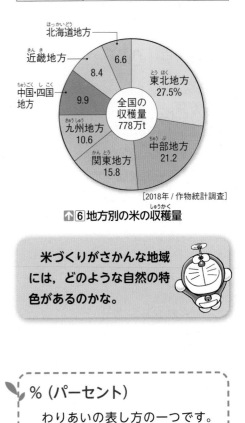

北海道地方　6.6
近畿地方　8.4
中国・四国地方
九州地方　10.6
関東地方　15.8
全国の収穫量 778万t
東北地方　27.5%
中部地方　21.2
9.9

[2018年/作物統計調査]

↑⑥地方別の米の収穫量

米づくりがさかんな地域には，どのような自然の特色があるのかな。

% (パーセント)

わりあいの表し方の一つです。
1%は全体の100分の1を表します。

算数「わりあい，百分率」「円グラフ」

71

折れ線グラフを読み取る

農業の変化を読み取る

　以下のような点に注意して，グラフを読み取りましょう。
- グラフの横じくとたてじくは何を表しているのか。
- どのように変化しているのか。
- 変化は，どこが大きくて，どこが小さいのか。
- 変化している理由は何か。

農産物の生産額はどのように変化しているのかな。

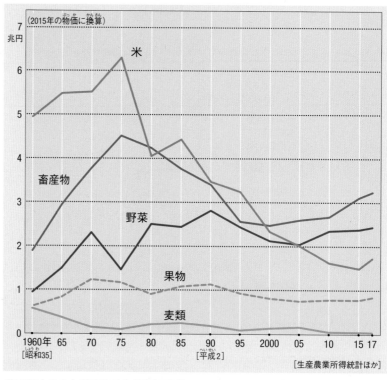

(2015年の物価に換算)

米

畜産物

野菜

果物

麦類

1960年 65 70 75 80 85 90 95 2000 05 10 15 17
[昭和35] [平成2]

[生産農業所得統計ほか]

↑①日本の主な農産物の生産額の変化

調べる

野菜，果物，畜産の産地はどのように広がっているのでしょうか。

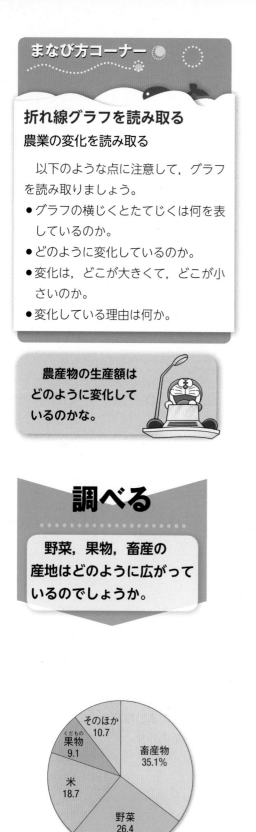

そのほか 10.7
果物 9.1
米 18.7
野菜 26.4
畜産物 35.1%

総額：9兆2742億円／2017年
[平成29年生産農業所得統計]

↑②主な農産物の生産額のわりあい

農産物の産地　あおいさんたちは，グラフや地図を使って，日本の農産物の生産額や産地の特色について調べました。

　「グラフを見ると，米の生産額が大きく減ってきています。一方で，野菜の生産額 5 は増えています。」

　「野菜の産地は，北海道，関東地方，それから，九州地方が多いようです。」

　「果物の産地は，全国に散らばっているけれど，それぞれの県でどのような果物がた 10 くさん取れるのでしょうか。」

　「牛肉，ぶた肉，鳥肉などの畜産物も，産地にちがいがあるのかな。」

野菜

↑③ きゅうりの収穫（宮崎県綾町）

野菜づくりは全国各地で行われています。夏でもすずしい産地では、すずしい気候に向いた野菜を夏場に生産し、消費地に送っています。また、冬でもあたたかい産地では、寒い時期に生産した野菜を消費地に送っています。

←④ 都道府県別の野菜の生産額（2017年）

全国
2兆4508億円

● 1000億円以上
● 500〜1000億円
● 300〜500億円

0   200km

［平成29年生産農業所得統計］

果物

果物は、気候のえいきょうを受けやすいため、さいばいされる地域がかぎられています。

みかんは、あたたかい気候の地域でさいばいされています。また、りんごは、雨が少なく、すずしい気候の地域でさいばいされています。

←⑥ 都道府県別の果物の生産量（2017年）

単位：万t
全国

● みかん 74万t
（3万t以上の都道府県）
● りんご 74万t
（3万t以上の都道府県）
● もも 12万t
（1万t以上の都道府県）

0   200km

［平成29年産果樹生産出荷統計］

←⑤ みかんの収穫
（愛媛県八幡浜市）

畜産

↑⑦ 乳牛の放牧（北海道別海町）

畜産のなかでも肉牛や乳牛の飼育には、えさになる牧草をつくる広い土地が必要になるため、主な産地は北海道や九州地方になっています。

野菜や果物に比べて、生産額が高いのが畜産の特ちょうです。

←⑧ 都道府県別の肉牛・乳牛の頭数（2018年）

単位：万頭
全国

● 肉牛 251万頭
（3万頭以上の都道府県）
● 乳牛 133万頭
（3万頭以上の都道府県）

0   200km

［平成30年畜産統計］

73

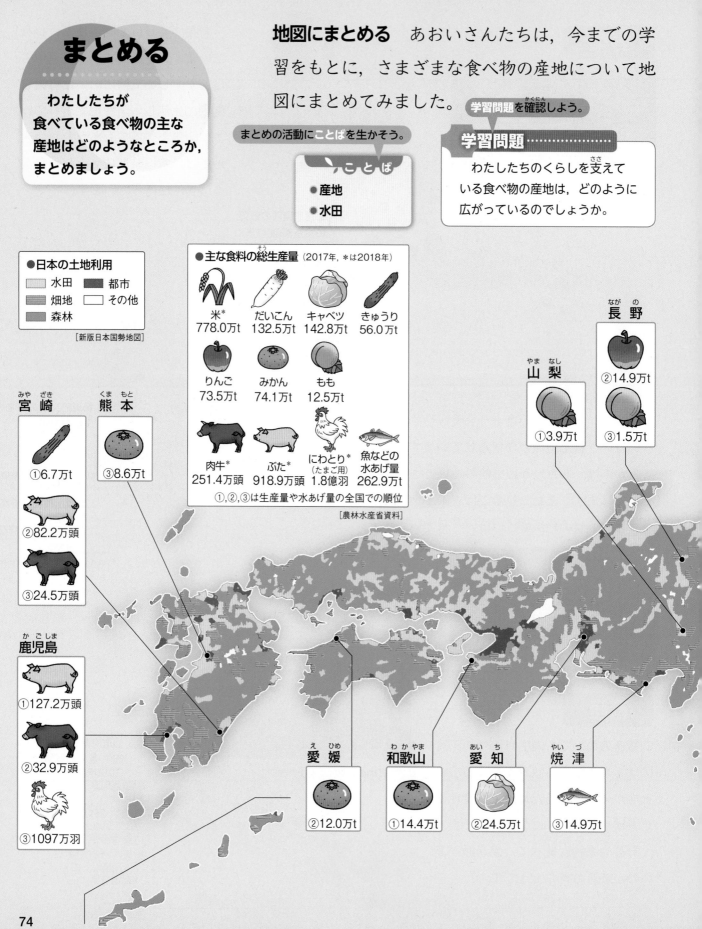

まとめる

わたしたちが
食べている食べ物の主な
産地はどのようなところか，
まとめましょう。

地図にまとめる　あおいさんたちは，今までの学習をもとに，さまざまな食べ物の産地について地図にまとめてみました。

まとめの活動に**ことば**を生かそう。

ことば
● 産地
● 水田

学習問題を確認しよう。

学習問題
わたしたちのくらしを支えている食べ物の産地は，どのように広がっているのでしょうか。

●日本の土地利用
水田		都市	
畑地		その他	
森林			

［新版日本国勢地図］

●主な食料の総生産量　（2017年，＊は2018年）

米＊	だいこん	キャベツ	きゅうり
778.0万t	132.5万t	142.8万t	56.0万t

りんご	みかん	もも
73.5万t	74.1万t	12.5万t

肉牛＊	ぶた＊	にわとり＊（たまご用）	魚などの水あげ量
251.4万頭	918.9万頭	1.8億羽	262.9万t

①，②，③は生産量や水あげ量の全国での順位

［農林水産省資料］

長野
② 14.9万t
③ 1.5万t

山梨
① 3.9万t

宮崎
① 6.7万t
② 82.2万頭
③ 24.5万頭

熊本
③ 8.6万t

鹿児島
① 127.2万頭
② 32.9万頭
③ 1097万羽

愛媛
② 12.0万t

和歌山
① 14.4万t

愛知
② 24.5万t

焼津
③ 14.9万t

北海道
①52.5万頭　①17.2万t　②51.5万t
③62.6万頭

秋田
③49.1万t

青森
①41.6万t　③12.9万t

釧路
②21.8万t

新潟
①62.8万t

山形
③4.7万t

福島
②2.9万t

群馬
①26.1万t　②5.5万t

茨城
①1401万羽

銚子
①28.1万t

埼玉
③4.7万t

千葉
②14.0万t　②1245万羽　③11.1万t

この地図に, 自分の調べてみたい産物を書きこんでもいいね。

やってみよう

下のまとめの続きを考えて完成させましょう。

●米は日本じゅうでつくられているけれど, 特に東北地方や新潟県, 北海道などで生産がさかん。

●野菜は,

●果物は,

●畜産は,

●水産物の水あげ量は,

75

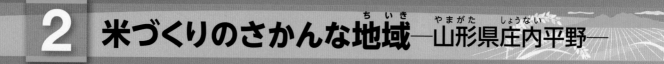

2 米づくりのさかんな地域—山形県庄内平野—

つかむ

庄内平野は
どのようなところ
なのでしょうか。

庄内平野をながめて　山形県の庄内平野は，日本有数の米の産地です。めいさんたちは，空から写した庄内平野の写真を見ながら，庄内平野の特色について考えています。

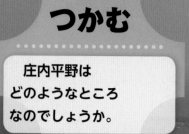

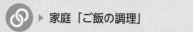

　家庭「ご飯の調理」

30m
100m

1 水田の大きさ　庄内平野の水田は，たて100m，横30mの大きさを基本に整備されています。

つかむ

写真やグラフを見て，
庄内平野の米づくりに
ついて話し合い，
学習問題を
つくりましょう。

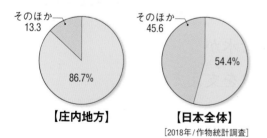

そのほか
13.3

86.7%

【庄内地方】

そのほか
45.6

54.4%

【日本全体】

[2018年/作物統計調査]

2 耕地のうちで水田がしめるわりあい

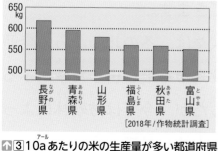

650
kg
600
550
500

長野県　青森県　山形県　福島県　秋田県　富山県

[2018年/作物統計調査]

3 10aあたりの米の生産量が多い都道府県
（1aはたて10m×横10mの面積）

米づくりのさかんな庄内平野　めいさんたちは，庄内平野の写真や，米づくりに関係する資料を見ながら話し合いました。

「こんなに大きな水田で，どのようにして米づくりをしているのでしょうか。」

「グラフを見ると，庄内平野にはたくさん水田があることがわかりますね。」

「どうして山形県では生産量の多い米ができるのでしょうか。」

めいさんたちは，庄内平野の農家の人々が，どのようなくふうと努力を重ねて，米づくりを行っているのかを調べてみることにしました。

学習問題

庄内平野で米づくりにかかわる人々は，どのようなくふうや努力をして，よりよい米を生産しているのでしょうか。

5

10

15

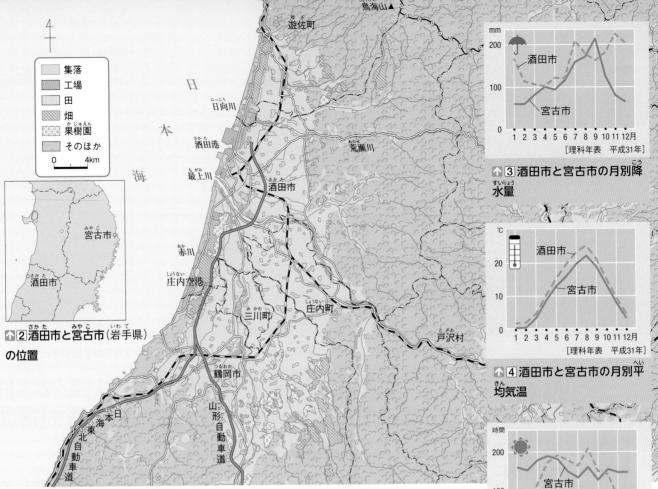

↑① 庄内平野の土地利用図

↑③ 酒田市と宮古市の月別降水量

[理科年表　平成31年]

↑④ 酒田市と宮古市の月別平均気温

[理科年表　平成31年]

↑⑤ 酒田市と宮古市の月別日照時間

[理科年表　平成31年]

↑② 酒田市と宮古市（岩手県）の位置

ことば

土地利用図　土地がどのような使われ方をしているのかを表した地図のことです。土地利用図を見ると，その地域のくらしや産業の様子がわかります。

まなび方コーナー

土地利用図の読み取り方

庄内平野の土地利用図を読み取る

上の土地利用図から，どんなことがわかるでしょうか。次の点に注目してみましょう。
- 山や川はどこにあるか。
- 鉄道や道路はどのようになっているか。
- 土地はどのように使われているか。
- 山や川，鉄道や道路と，土地の使われ方には，どのような関係があるか。

地形と気候の特色

庄内平野には，日向川，最上川，赤川などの川があります。この豊かな水が庄内平野の米づくりを支えています。

庄内平野は，広いところで東西に約16km，南北に約50kmの広さがあり，土地が平らなので，効率よく米づくりができます。

庄内平野でくらす人々は，冬の北西からの季節風によって，海岸の砂丘から飛び出した砂がふることに苦しんできましたが，今では防砂林によって，砂が飛ぶのは食い止められています。

↑⑥最上川と水田

↑⑧8月の庄内平野

↑⑦庄内砂丘と防砂林

↑⑨1月の庄内平野

　庄内平野の気候の特色は，冬の寒さと夏の暑さの差が大きいことと，春から秋にかけての日照時間が長いことです。この気候の特色が米をつくる条件に合い，米づくりがさかんに行われるようになりました。

　庄内平野では，夏になると南東から，あたたかくかわいた季節風がふきます。季節風は，雨でぬれた葉をかわかして，稲の病気を防ぎます。また，ゆらいだ葉に日光が十分に当たり，じょうぶな稲が育ちます。このようなことから，庄内平野の人々は，夏の季節風のことを「宝の風」とよぶようになりました。

庄内平野は，どのような気候の特色があるのかな。

↑⑩種まきじいさん　春になると，鳥海山の雪の解けたところが，こしをかがめたおじいさんの形になります。昔はこの時期に種まきをしました。今は，田植えを始めます。

79

まなび方コーナー

景観をとらえる
庄内平野の写真を見て

　米づくりがさかんな庄内平野について，次のようなことを考えながら，景観（風景や景色）について話し合ってみましょう。

- 庄内平野はどのくらいの広さがあるのでしょうか。
- 庄内平野はあたたかいのでしょうか，寒いのでしょうか。
- 庄内平野の人々は，どのようなくらしをしているのでしょうか。
- なぜ，庄内平野では米づくりがさかんなのでしょうか。

学習問題 について予想しよう

種をまいて米ができるまで，いろいろなくふうをしながら米づくりは行われていると思います。

米づくりは大変な仕事なので，農家の人をいろいろな人が助けていると思います。

おいしい米をたくさんつくるために，農家の人はいろいろなくふうをしていると思います。

おいしい米がわたしたちのところへとどくためには，さまざまなしくみがあると思います。

学習計画 を立てよう

調べること

・種をまいてから，米を収穫（しゅうかく）するまでの農家の人の一年間の仕事。

・おいしい米をつくるための農家の人のくふうや努力。

・おいしい米をつくるための地域（ちいき）の協力。

・庄内平野の米づくり農家を支（ささ）えるしくみ。

・米が出荷されてから消費者（しょうひしゃ）にとどくまでのしくみ。

・農家の人たちがかかえる課題と課題を解決（かいけつ）するためのさまざまな取り組み。

調べ方

・教科書や地図帳で調べる。

・農家の人に手紙でたずねる。

・庄内平野の米づくりについて，ホームページで調べる。

・スーパーマーケットの人やお米屋さんにインタビューする。

まとめ方

・庄内平野の農家のくふうや努力を表にまとめる。

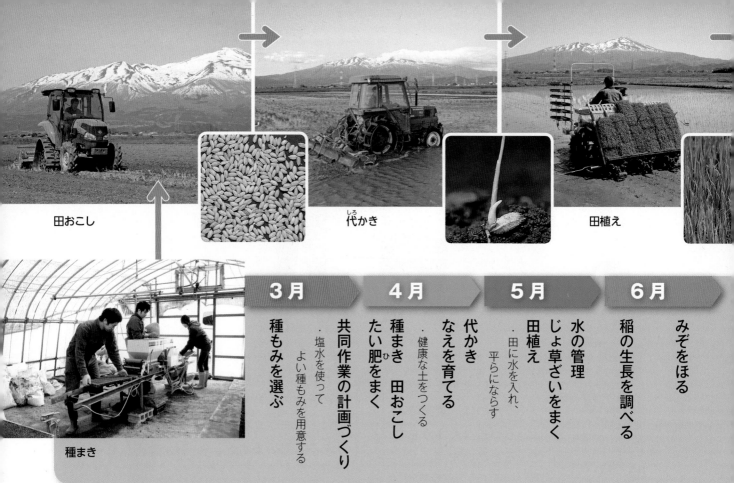

田おこし　代かき　田植え

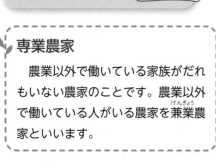
種まき

3月	4月	5月	6月
種もみを選ぶ ・塩水を使って よい種もみを用意する 共同作業の計画づくり	種まき　田おこし たい肥をまく ・健康な土をつくる	代かき なえを育てる ・田に水を入れ、平らにならす 田植え じょ草ざいをまく 水の管理	稲の生長を調べる みぞをほる

↑① 稲の生長と農作業ごよみ

調べる

農家の人々は、米づくりをどのように進めているのでしょうか。

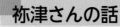

米づくりは、どのように計画されているのかな。

専業農家

農業以外で働いている家族がだれもいない農家のことです。農業以外で働いている人がいる農家を兼業農家といいます。

祢津さんの米づくり　めいさんたちは、酒田市で農業を営む祢津さんに、米づくりの様子をたずねました。

祢津さんの話

わたしは、畑などをふくめて約5ha（ヘクタール）の農地をもつ専業農家です。米づくりは、選んだ種もみが3月にとどくところから始まります。5月のはじめごろから田植えをして、9月に稲かりをし、10月に収穫した米をカントリーエレベーターにおさめるまでの間、米づくりの作業は続きます。

米づくりは大変ですが、やりがいのある仕事です。「おいしい」と言ってもらえる米を、つくり続けたいと思います。

5

10

「米づくり農家の人にインタビュー」

水の管理

農薬散布 (さんぷ)

稲かり

カントリーエレベーターに運ぶ

7月	8月	9月	10月

農薬をまく

穂が出る (ほ)
・病気や害虫から稲を守る
・肥料をあたえる
・雑草から稲を守る (ざっそう)
・生育調査 (せいいく)
・中干し (なかぼ)

稲かりの計画づくり

稲かり　だっこく
カントリーエレベーターに運ぶ
かんそう
出荷前にもみすりをする

めいさんたちは，祢津さんの話や調べたことを
もとに，庄内平野 (しょうない) の農作業ごよみをつくりました。

「米づくりにこんなにいろいろな仕事があ
るとは思いませんでした。」

5　「こんなにたくさんの仕事を，祢津さんは
一人でやっているのでしょうか。」

「肥料 (ひりょう) をまく時期や水の管理は，話し合っ
て決めるなど，地域 (ちいき) の人と協力して米をつ
くっているそうです。」

10　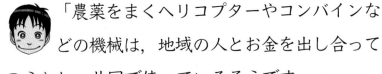「農薬をまくヘリコプターやコンバインな
どの機械は，地域の人とお金を出し合って
こう入し，共同で使っているそうです。」

↑②地域の人々が集まる勉強会　米づくりの
新しい取り組みを学んだり，おいしい米をつくる
ためのくふうを話し合ったりします。

米づくりに欠かせない水

給水せん

排水せん

排
水
路

地下の用水路

地下パイプ

　米づくりでは，水田の水の量を調節することが大切です。庄内平野では，給水せんと排水せんを開閉することで，田に水を入れたり，ぬいたりして水を調節します。

　また，すべての田にうまく用水が配分されるように，ポンプ場をコンピューターで管理しています。

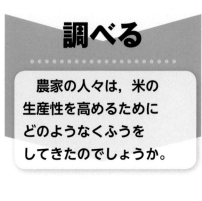

調べる

　農家の人々は，米の生産性を高めるためにどのようなくふうをしてきたのでしょうか。

ことば

生産性　生産性とは，仕事やお金などの使われるものと，生み出されたものとの関係のことです。より少ない仕事やお金で，より多く，価値のあるものを生み出すことができれば，それを生産性が高いといいます。

生産性を高める米づくりのくふう　米づくりでは，田に水を入れたり，ぬいたり，水の深さを調節したりすることが大切です。庄内平野では，用水路と排水路を分け，必要な量の水を水田に入れられるようにしています。

　もともと，庄内平野の水田は，現在のように整理されたものではありませんでした。米づくりの生産性を高めるために，地域の農家などが協力して田の形を整え，区画を広げ，水路や農道を整備して，耕地整理が行われてきました。

　めいさんたちは，米づくりの移り変わりの写真を見ながら話し合いました。

5

10

約60年前　　　　　　　　　現在

→ ④田おこし

→ ⑤田植え

→ ⑥稲かり

↑②耕地整理の前

↑③耕地整理の後

米づくりはどのように移り変わってきたのかな。

「60年前の米づくりはほとんどが手作業で，今と比べるとずいぶんと時間がかかっていたようだね。」

「田植え機やコンバインなどの機械を使うことで，農家の人たちの労働時間が短しゅくされてきたんだね。」

5

祢津さんの話
（ねっ）

　昔の米づくりは，「田をはう仕事」といわれるくらいとてもつらい仕事だったそうです。
10 それが今では，機械化が進んで田植えや稲かりも機械でするようになり，効率的に仕事ができるようになりました。
（いね）（こうりつてき）

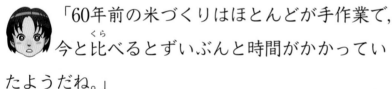

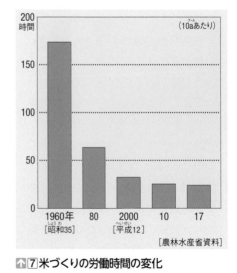

200時間　　　　　　　　　　（10aあたり）

150

100

50

0
1960年　80　2000　10　17
[昭和35]　　　[平成12]
[農林水産省資料]

↑⑦米づくりの労働時間の変化

85

↑③農業協同組合による米のせんでん

↑①営農指導員と相談する祢津さん

↑②水田農業試験場の様子

↑④庄内平野で行われている水の管理

調べる

農家の人々を，だれがどのように支えているのでしょうか。

庄内平野の米づくりにはどのようなくふうが見られるのかな。

農業協同組合（JA）

JAは農家を中心とした集まりです。地域全体のさいばい計画を立てたり，技術の指導をしたり，農機具や肥料のはん売をしたりします。

庄内平野の米づくりを支える人たち

めいさんたちは，祢津さんに農家を支えている人たちについて教えていただきました。

祢津さんの話

　わたしたちが米づくりをするために，農家以外の多くの人にも協力してもらっています。

　特に，農業協同組合（ＪＡ）の人の協力は，米づくりには欠かせません。営農指導員もＪＡで働く人です。営農指導員のアドバイスで，稲を病気から守ることができ，また，稲は順調に生長することができるのです。

　わたしたちと，農家を支えてくれる人たちがいっしょに努力することで，安全でおいしいお米をみなさんにとどけることができます。

5

10

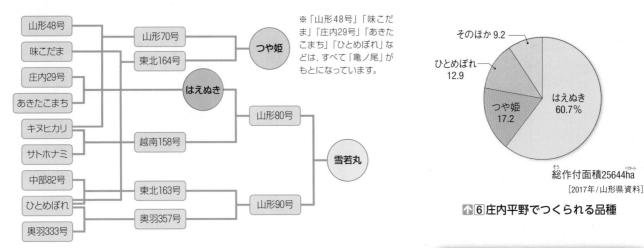

※「山形48号」「味こだま」「庄内29号」「あきたこまち」「ひとめぼれ」などは,すべて「亀ノ尾」がもとになっています。

⬆5 つや姫や雪若丸ができるまで

そのほか 9.2
ひとめぼれ 12.9
つや姫 17.2
はえぬき 60.7%

総作付面積25644ha
[2017年/山形県資料]

⬆6 庄内平野でつくられる品種

　山形県鶴岡市にある水田農業試験場では,品種改良や有機農業の研究をしています。庄内平野で最も多くさいばいされている「はえぬき」という品種の米は,この試験場で開発されました。また,

5　2010(平成22)年からはん売されている「つや姫」や,2017年からはん売されている「雪若丸」も,この試験場で開発されました。

「つや姫は,品質がよく人気も高いので,さいばいする農家が増えてきています。」

10　「さまざまな好みに合うようにしたり,農家の方が育てやすくしたりするために,新しい品種が開発されているんだね。」

ことば

品種改良　いろいろな品種のよいところを集めて,新しい品種をつくり出すことです。その土地の地形や気候に合わせて,おいしくて育てやすい作物をつくっています。

⬆7 水田農業試験場(山形県鶴岡市)

庄内の農業にこうけんした
阿部亀治

　阿部亀治は庄内地方の人で,今から120年ほど前に,コシヒカリやササニシキのもとになった有名な品種の米「亀ノ尾」を発見しました。

⬅8 阿部亀治　　　⬆9 博物館の展示(庄内町)

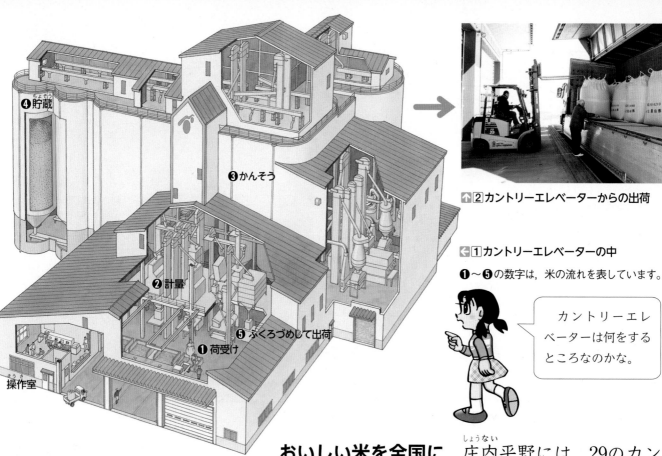

❹貯蔵

❸かんそう

❷計量

❺ふくろづめして出荷

❶荷受け

操作室

↑②カントリーエレベーターからの出荷

←①カントリーエレベーターの中

❶〜❺の数字は，米の流れを表しています。

カントリーエレベーターは何をするところなのかな。

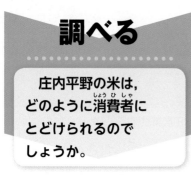

調べる

庄内平野の米は，どのように消費者にとどけられるのでしょうか。

おいしい米を全国に

庄内平野には，29のカントリーエレベーターがあります。米づくり農家の多くは，収穫された米を，カントリーエレベーターに集めます。集められた米はここに保管され，JAの計画にしたがって，全国各地へと出荷されます。こうして，庄内平野の米を，全国各地で手に入れることができるのです。

江戸時代から有名だった庄内米

庄内平野の米は，江戸時代から全国各地の人にとどけられていました。米は，当時は主に北前船とよばれる貨物船などで東京や大阪の市場に運ばれていました。庄内地方に大阪の古い文化が今も残っているのは，米の輸送を通して二つの地域が結びついていたからです。

←③山居倉庫（山形県酒田市，復元もけい）

山居倉庫が完成した明治時代になると，きびしい品質管理のもとで保管された米が各地に運ばれました。

中部地方 1.8　　北海道地方 0.9
中国・四国地方 1.9　　九州地方 0.3
東北地方 13.8
近畿地方 19.4
関東地方 61.9%

[2018年／JA全農山形資料]

↑⑤庄内平野の米がとどけられる地方別のわりあい

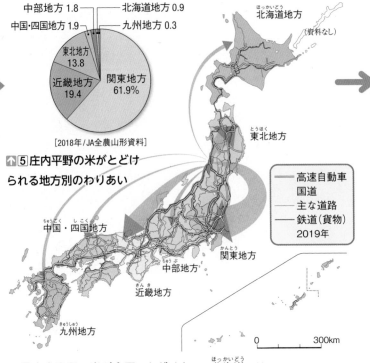

北海道地方（資料なし）

東北地方

─── 高速自動車
　　 国道
─── 主な道路
─── 鉄道（貨物）
　　 2019年

中国・四国地方

中部地方

関東地方

近畿地方

九州地方

0　　　300km

↑④庄内平野の米が全国にとどくまで　北海道へはフェリーで，そのほかの地域へはトラックや列車で運ばれます。

「近所の米屋さんやスーパーマーケットで，山形県のお米を買うことができます。」

「トラックや鉄道，遠いところではフェリーを活用して，お米がわたしたちのところへとどけられています。」

5　　米がわたしたちにとどくまでには，米づくりにかかる費用のほかに，輸送やはん売などの費用がかかります。店などで米を買う人がはらうお金の中には，これらの費用もふくまれています。

10　「わたしの家では，山形の農家から直接米を買っています。インターネットで注文をして，宅配便でとどけられます。送料が別にかかるので価格は高いですが，おいしい米を安心して食べられるので，そうしています。」

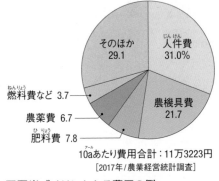

名　称	精　米		
原料玄米	産　地	品　種	産　年
	単一原料米　山形県	はえぬき	表示欄右下に記載
内容量	10kg		
精米年月日	表示欄右下に記載		
販　売　者	株式会社 全農　サポート山形　山形県天童市長岡北　お客様相談室　0120-02-		

ホームページアドレス　http://www.z-lsy.co.jp
●本商品についてのお気づきの点は，お客様相談室までご連絡ください。
●受付時間：（月）～（金）9:00～16:00（土・日・祝日は除きます）

↑⑥米ぶくろの表示

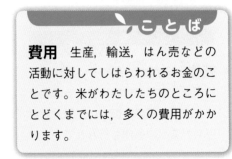
米づくり農家とわたしたちはどのようにつながっているのかな。

そのほか 29.1
人件費 31.0%
農機具費 21.7
肥料費 7.8
農薬費 6.7
燃料費など 3.7

10aあたり費用合計：11万3223円
[2017年／農業経営統計調査]

↑⑦米づくりにかかる費用の例

ことば

費用　生産，輸送，はん売などの活動に対してしはらわれるお金のことです。米がわたしたちのところにとどくまでには，多くの費用がかかります。

89

↑① 水田と大豆の畑　左が水田，右が大豆の畑です。

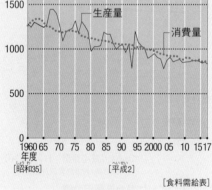

調べる

農家の人々は，
さまざまな課題を
どのように解決しようと
しているのでしょうか。

万t
1500

生産量

消費量

1000

500

0　1960 65 70 75 80 85 90 95 2000 05 10 15 17
　　年度
　[昭和35]　　　[平成2]

[食料需給表]

↑② 米の生産量と消費量の変化

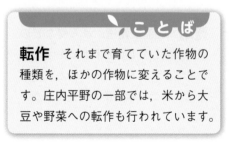

ことば

転作　それまで育てていた作物の
種類を，ほかの作物に変えることで
す。庄内平野の一部では，米から大
豆や野菜への転作も行われています。

米づくり農家のかかえる課題と新しい取り組み

　めいさんたちは，上の写真を見ながら，米づく
り農家がかかえる課題について考えています。

「水田のとなりが，どうして畑になってい

るのだろう。」　　　　　　　　　　　　　　　5

「米の生産量と消費量が減っていることと，

何か関係があるのでしょうか。」

「米づくりがさかんな庄内平野で，お米以

外の作物がつくられているんだね。」

　55年ほど前から，米の生産量が消費量を上回 10
り，米が余るようになりました。そこで生産調整
が行われるようになり，庄内平野でも，多くの農
家が米以外の大豆やねぎなどをつくるようになり
ました。

　ほかにも，庄内平野では新しい取り組みが進め 15
られています。新しい取り組みについて，祢津さ
んに話を聞いてみました。

↑③農作業の共同化　農業をする人が減ってきたので，共同で農作業をする農家が増えてきました。写真は，ヘリコプターを使って共同で農薬をまいている様子です。

↑④消費者との結びつき　庄内平野のわかい農家の人たちは，毎年関東地方の小学校をおとずれ，米づくりについての出前授業を行っています。

↑⑤環境にやさしい肥料づくり　11月ごろから6月ごろにかけて，稲のもみがらを細かくくだいてたい積し，環境にやさしい肥料をつくっています。

↑⑥種もみの直まき　手間のかかるなえづくりの仕事を減らすために，水田に種もみを直接まく方法があります。

祢津さんの話

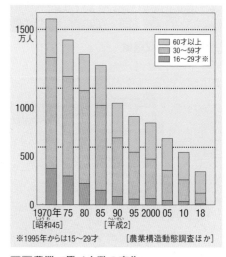

　わたしは今，種もみの直まきにちょうせんしています。なえを育てて田植えをする仕事はとても手間がかかるため，この手間を少しでも減らして，
5　米づくりを効率的に進めるためです。残念ながら，直まきに失敗したこともありますが，あきらめずにちょうせんし続けています。

　農業で働く人は減ってきていますが，おいしくて安全な米をつくるために，農家の人々はいろいろなことにちょうせん
10　しているのです。

↑⑦農業で働く人数の変化

1500万人

60才以上
30～59才
16～29才※

1000
500
0

1970年　75　80　85　90　95　2000　05　10　18
[昭和45]　　　　　[平成2]
※1995年からは15～29才　　[農業構造動態調査ほか]

91

まとめる

これまでの学習を
ふり返り，米づくりが
さかんな地域の人々の
くふうや努力について
まとめましょう。

↑①最上川と水田

↑②水田農業試験場

↑③種もみの直まき

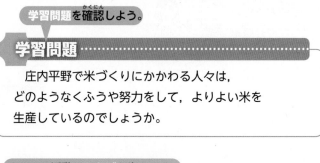

学習問題を確認しよう。

学習問題

庄内平野で米づくりにかかわる人々は，
どのようなくふうや努力をして，よりよい米を
生産しているのでしょうか。

まとめの活動にことばを生かそう。

ことば

● 土地利用図　● カントリーエレベーター　● 生産性
● 品種改良　● 費用　● 転作

これまでの学習をふり返る　めいさんたちは，
これまでの学習をふり返って，米づくりのさかん
な庄内平野の人たちが，さまざまなくふうや努力
をしていたことを話し合いました。

「庄内平野では，よりよいお米を生産する　5
ために，いろいろなくふうや努力が行われ
ていました。」

「庄内平野の地形や気候の特色を生かして，
米づくりをしていることがわかりました。」

「米づくりをする農家だけでなく，いろい　10
ろな人が協力していることがとても印象に
残りました。」

「米づくり農家には，いろいろな課題があ
りますが，それをくふうや努力で解決しよ
うとしていることがわかりました。」　15

めいさんたちは，米づくり農家の人たちのくふ
うや努力を，学習してきた内容ごとに整理し，表
にまとめることにしました。

米づくりのくふうや努力

内容	問い	わかったこと
地形や気候	庄内平野はどのようなところなのでしょうか。	●地形の特色 豊かな水，広くて平らな土地，防砂林 ●気候の特色 冬の寒さと夏の暑さの差が大きい，春から秋にかけての日照時間が長い，夏の季節風
1年間の米づくり	農家の人々は，米づくりをどのように進めているのでしょうか。	🖊
生産性を高めるくふう	農家の人々は，米の生産性を高めるためにどのようなくふうをしてきたのでしょうか。	🖊
農家を支える人々	農家の人々を，だれがどのように支えているのでしょうか。	🖊
米を消費者にとどける	庄内平野の米は，どのように消費者にとどけられるのでしょうか。	🖊
課題と解決方法	農家の人々がかかえる課題を，どのように解決しようとしているのでしょうか。	🖊

まなび方コーナー

表にまとめる
米づくりにかかわる人々のくふうや努力を表にまとめる

　上の表を参考にしながら，これまでの学習をふり返り，ノートにまとめてみましょう。
- 表にはタイトルをつける。
- 「内容」「問い」「わかったこと」というように，表を分類する。
- 「わかったこと」は，短いことばでまとめる。また，「地形の特色」と「気候の特色」のように，いくつかに分けて書くとわかりやすくなる。

「地形や気候」の「わかったこと」を参考にして，ほかの内容についても「わかったこと」を書いてみましょう。

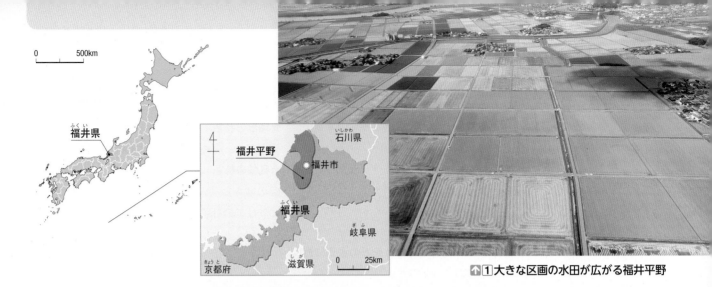

福井県

福井平野　石川県

福井市

福井県

岐阜県

京都府　滋賀県

0　25km

↑１ 大きな区画の水田が広がる福井平野

ひろげる　福井平野の新しい米づくり

調べる

福井平野では，どのような米づくりが行われているのでしょうか。

パイプライン
幹線 ———
支線 -----
パイプラインの水を引く
田
畑

九頭竜川

鳴鹿大堰

↑←２３広がるパイプラインと工事の様子
　九頭竜川上流の鳴鹿大堰から下流の地域までパイプラインが広がっています。

福井平野に広がるパイプライン　福井県の福井平野は，豊かな自然と九頭竜川の水にめぐまれ，昔から米づくりがさかんです。しかし，用水路が古くなり，水がよごれたり，海に近い地域では塩水で作物が育たなくなったりするなどの課題がありました。それらを解決するため，大規模なパイプラインの建設が進められ，2016（平成28）年からパイプラインで用水を送れるようになりました。

福井県庁の横山さんの話

　パイプラインは九頭竜川上流の鳴鹿大堰から下流に向かって通され，地形の高低差で水を送っています。パイプラインができたことで，きれいな水を自由に利用できるようになりました。パイプラインの水はよごれが少なく，下流の地域でも安定して水を利用できるため，海に近い地域の塩水による問題も解消されました。

5

10

15

↑④リモコン式の給水栓　スマートフォンなどで操作して，給水をすることができます。

↑⑤直まきの様子　なえをつくらずに種を直接まく直まきさいばいも積極的に行われています。

↑⑥さかんな野菜づくり　米づくりだけでなく，野菜づくりもさかんに行われています。

米づくりをする水野さんの話

　パイプラインができたことで，水を安定して使うことができるようになりました。いつでも水量を調整して使えるだけでなく，水にごみなどが入る
5　こともなくなりました。
　また，夏は夜にパイプラインからの冷たい水を水田に入れておくと，お米の味がよくなります。
　水の管理が楽になったので，最近は米だけでなく，野菜づくりにもちょうせんしています。

↑⑦小学校の校外学習　かり取った稲を天日ぼしにする「はさがけ」を体験しているところです。

10　　パイプラインができたことで，水を管理する作業が効率的になり，大規模な米づくりもできるようになりました。複数の農家が集まり，協力して大規模な米づくりをする農業生産法人も増えています。

15　　また，2017（平成29）年には，福井県の新しい品種「いちほまれ」が売り出されるようになりました。

↑⑧いちほまれ　「日本一美味しい誉れ高きお米」になってほしいという思いがこめられています。

↑① かまぼこ

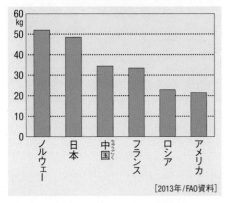

[2013年/FAO資料]

↑② 主な国の一人１年あたりの魚や貝の消費量

↑③ スーパーマーケットの魚売り場

3 水産業のさかんな地域

つかむ

わたしたちの食生活と水産業について考え，学習問題をつくりましょう。

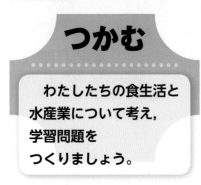

[漁業・養殖業生産統計]

↑④ 日本の漁業生産量の変化

魚を消費する日本　わたしたちがふだん食べているものの中には，魚を使った料理がたくさんあります。ゆうなさんたちは，スーパーマーケットの魚売り場を思い出したり，資料を見たりしながら日本の水産業について話し合いました。 5

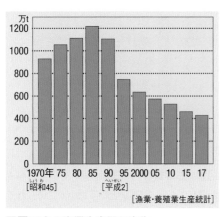
「日本人は，世界でも魚をたくさん食べていることがわかります。お店の魚売り場には，いろいろな種類の魚が売られています。」

「魚売り場には，シールに養しょくと書いてある魚もありました。養しょくってどこ 10 かで育てているのでしょうか。」

「かまぼこやおでんの材料なども魚からつくられていると思います。」

↑⑤大陸だな

↑⑥主な漁港の水あげ量

→⑦都道府県別の漁業生産額のわりあい

主な漁港の水あげ量
〔単位千t〕
全国：263万t
〔2017年／
水産物流通調査〕
0　　　300km

紋別 49
広尾 36
網走 34
にしん
寒流
たらばがに
平内 39
たら
ほたて貝
いか
かれい
釧路 218
さけ
八戸 99
大船渡 34
境 118
石巻 108
いわし　ずわいがに
気仙沼 73
まぐろ
松浦 75
さば
さんま
ぶり
とびうお
いわし
さば
佐世保 32
ふぐ
銚子 281
長崎 73
波崎 38
あじ
奈屋浦 45
いせえび
豊浜 105
焼津 149
枕崎 85
くるまえび
かつお
たい
山川 38
たかさご

日本海
親潮（千島海流）
太平洋
東シナ海
対馬海流
暖流
暖流
黒潮（日本海流）

北海道 20.4%
そのほか 41.0
長崎県 6.6
愛媛県 6.2
鹿児島県 5.2
宮城県 5.2
青森県 4.6
静岡県 3.9
兵庫県 3.5
三重県 3.4
総計：1兆4716億円／2016年
〔平成28年漁業産出額〕

大陸だな
約200m

魚が多くとれるのは，どんなところかな。

ことば

水産業　海，川，湖などにいる生物をとったり増やしたりする仕事のこと。とったものを加工することや消費者までとどけることもふくめて水産業ということもあります。

大陸だな

水深が200mぐらいまでのゆるやかな斜面の海底をいいます。プランクトンが豊富で海そうがよく育ち，魚が多く集まります。

暖流と寒流

いつも決まった方向に流れる海水の流れを海流といいます。海流には，まわりの海水より温度の高い暖流と，温度の低い寒流とがあります。

プランクトン

海や湖などにすむ，ひじょうに小さい生物のことです。プランクトンは魚のよいえさになります。

「魚を多く食べるのに，日本の魚をとる量は減っているよ。どうしているのかな。」

日本の近海は，暖流と寒流がぶつかり，大陸だなが多いので，魚の種類も豊富でよい漁場になっています。ゆうなさんたちは，水産業のさかんな長崎漁港を中心に，魚が自分たちの食卓にとどくまでについて調べてみることにしました。

調べること

・どのようにして魚をとっているのか。

・とった魚はどのようにしてわたしたちにとどけられるのか。

・日本の水産業がかかえている課題。

学習問題

長崎で水産業にかかわっている人々は，どのように魚をとり，消費者にとどけているのでしょうか。

まきあみ漁には
どのようなくふうが
あるのかな。

調べる

長崎漁港の近海で
さかんな沖合漁業は，
どのように行われて
いるのでしょうか。

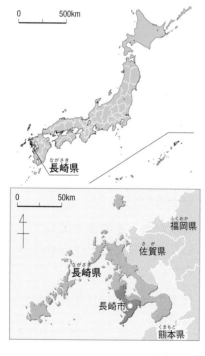

0   500km

長崎県

0   50km

福岡県
佐賀県
長崎県
長崎市
熊本県

魚を集めてとるまきあみ漁　島の多い長崎県の近くには大陸だなが広がり，魚の種類が豊富です。長崎県には，大小あわせて230あまりの漁港があり，長崎漁港は県内で最も生産額の多い漁港です。

　長崎漁港には，毎日たくさんの漁船が着きます。5
最近では，漁船からスマートフォンなどを使って，とれた魚の情報が漁港に送られ，漁船が入る漁港を決めるときなどに活用されています。

　長崎漁港の近海では，沖合漁業がさかんです。沖合漁業の漁法は，魚の種類や船の種類，漁場に　10
よってちがいます。ゆうなさんたちは，まきあみ漁法を使って行われる沖合漁業について，長崎漁港で働く片山さんに電子メールでたずねました。

さまざまな魚がとれる長崎漁港

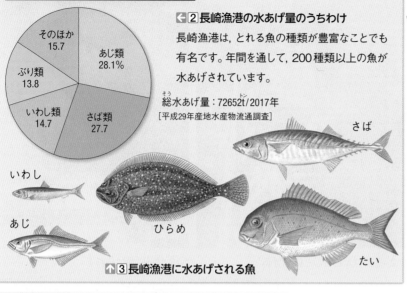

←②長崎漁港の水あげ量のうちわけ

長崎漁港は，とれる魚の種類が豊富なことでも有名です。年間を通して，200種類以上の魚が水あげされています。

総水あげ量：72652t/2017年
[平成29年産地水産物流通調査]

そのほか 15.7
あじ類 28.1%
ぶり類 13.8
いわし類 14.7
さば類 27.7

↑③長崎漁港に水あげされる魚

さば
いわし
ひらめ
あじ
たい

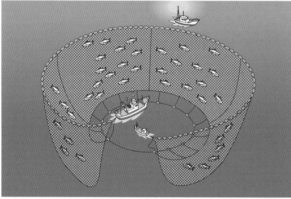

←④まきあみ漁のしくみ
集魚灯を照らして魚を集め，あみを入れて魚をとります。

漁業の分類

遠洋漁業　遠くの海に出かけて，長い期間にわたって行われる漁業。

沖合漁業　10t以上の船を使って，数日がかりで行われる漁業。

沿岸漁業　10t未満の船を使う漁や，定置あみ，地引きあみ漁業。

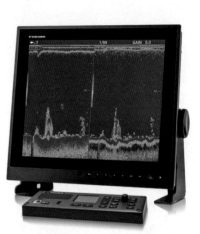

↑⑤魚群探知機　音波を出して，魚のいる場所を見つけます。

長崎漁港の片山さんからのメール

　まきあみ漁は，船団を組んで行われます。魚を運ぶ船のほかに，魚群探知機を積んだ船，あみを受け持つ船がいっしょに漁をします。

5　魚群探知機で魚の群れを見つけると，魚は光に集まる習性があるため，集魚灯を照らして魚の群れを集め，あみを海に入れながら魚を囲いこみます。その後，あみの口をしぼりながら，魚のかかったあみを引き上げます。

　漁は天気に大きく左右されます。天気や波の情報は，船が
10　港から出る前だけでなく，船の上でも電話などで受信し，確認しています。

こ　と　ば

水あげ　魚など船の荷物を，港など陸地にあげること。漁業の収穫についても，水あげといいます。

まなび方コーナー

質問のしかた
電子メールで質問する

●メールアドレスを確認する。

●手紙で質問するときと同じように，何をたずね，どのような答えがほしいのかを明確にする。送る前に文面は必ず確認する。

↑① とった魚の水あげ

↑② 種類や大きさごとに分ける

↑③ せりにかけられる

調べる

長崎漁港に水あげされた魚は、どのようにしてわたしたちの食卓へとどくのでしょうか。

↑④ 空から見た長崎漁港

とった魚がわたしたちにとどけられるまでには、どのような人の働きがあるのかな。

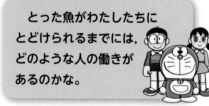

せり

売りに出されたものに、買いたい人が値段を示し合って、値段と買う人を決めていく方法のこと。かけ声と手のサインなどで決まります。

長崎漁港から食卓へ

漁船はとった魚を漁港に運びます。漁港は水産業にとってなくてはならない基地の働きをしています。漁港の主な役わりは、水あげされた魚を仕分けしてせりにかけ、出荷することです。

長崎漁港に水あげされた魚は、自動選別機や人の手で種類や大きさごとに分けられ、箱づめにされます。その後、魚市場でせりにかけられます。

せりおとされた魚は、漁港の近くだけでなく、全国へトラックで運ばれます。魚が新鮮だと消費者にも喜ばれ、高く売れます。新鮮な魚を出荷するために、漁港では手早い荷づくりが行われ、保冷機能のついたトラックなどで出荷されます。

ゆうなさんたちは、写真やグラフなどの資料を見ながら、魚がどのようにわたしたちにとどけられるのかを話し合いました。

長崎漁港の市場から，他地域の市場に運ばれる場合と，スーパーマーケットなどの店に直接運ばれる場合があります。

⑤長崎漁港の市場で売られる 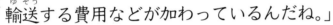⑥トラックに積みこんで運ぶ

⑦出荷された地域の市場などで売られる

「長崎漁港でせりにかけられた魚は，まず漁港にある市場で売られるんだね。」

「出荷された地域でも，市場などで売られてからお店にならべられているよ。」

5 「魚の価格には，魚をとる費用だけでなく，輸送する費用などが加わっているんだね。」

「とった魚が，わたしたちにとどけられるまでに，さまざまな人の働きがある

10 ことがわかりました。」

⑧スーパーマーケットなどの店にならぶ

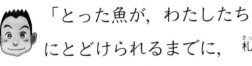⑨魚が運ばれる道　出荷先は，関東・近畿・九州地方の合計が約9わりをしめます。

| 高速自動車国道 |
| 主な道路 |
| 2019年 |

札幌
青森
新潟
仙台
岡山
大阪
広島
東京
福岡
名古屋
長崎
高知
鹿児島

0　　300km

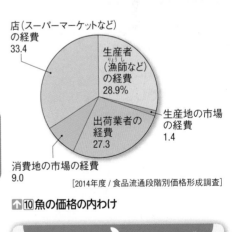

店（スーパーマーケットなど）の経費 33.4

生産者（漁師など）の経費 28.9%

生産地の市場の経費 1.4

出荷業者の経費 27.3

消費地の市場の経費 9.0

[2014年度／食品流通段階別価格形成調査]

⑩魚の価格の内わけ

ことば

価格　ものやサービスなどにつけられた金額のことで，値段ともいいます。魚の価格には，市場で売られる費用や出荷業者の輸送費などもふくまれます。

←1 長崎市の主な漁港

←2 とらふぐの養しょく場

←3 とらふぐの成魚

↑4 とらふぐの歯切り　ほかの魚をかんできずつけてしまわないように，成魚になるまでに5，6回歯切りを行います。

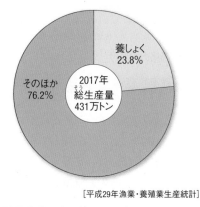

調べる

つくり育てる漁業は，どのように行われているのでしょうか。

2017年
総生産量
431万トン

養しょく
23.8%

そのほか
76.2%

［平成29年漁業・養殖業生産統計］

↑5 漁業の中で養しょくがしめるわりあい

つくり育てる漁業　とった魚がどのようにとどけられるのかを学習したゆうなさんたちは，次に魚の養しょくについて調べてみました。

養しょくは，魚などが大きくなるまで，いけすなどで育ててからとる漁業です。長崎県は，とらふぐの養しょくの生産量が日本一で，長崎市では，戸石地区でとらふぐの養しょくがさかんに行われています。

とらふぐの養しょくは，稚魚（魚の子ども）が成魚になって出荷されるまでに約1年半かかります。その間に，ほかの魚をきずつけないように，歯切りという作業を1ぴきずつ何度もていねいに行います。

養しょく業者の里さんの話

　とらふぐの養しょくに，地元のわかい人が
増えてきているのがうれしいです。生産が安
定しているのが大きな理由でしょう。

5　とらふぐの養しょくは，毎日魚の状態を見ながら，適度な
量のえさをあたえて育てます。台風や赤潮などにも気をつけ
なければなりません。

　地道に愛着をもってとらふぐを育てることが大切です。

　とらふぐの養しょくがさかんな戸石地区の近く
10　には，長崎市の水産センターがあります。水産セ
ンターでは，魚や貝のたまごを育て，養しょく業
者にはん売したり，海に放流したりするさいばい
漁業を行っています。とらふぐの病気への対応や，
魚のウイルスの研究なども行っています。

15　育てた魚を海に放流したり，魚の研究をしたり
することによって，かぎられた水産資源を守り，
安定して魚をとれるようにしているのです。

↑6 **赤潮の水面の様子**（山口県）　赤潮は，海
の中のプランクトンが大量に発生することで起
こります。赤潮が発生すると，酸素が少なくな
り，魚が死ぬなどの被害が出てしまいます。

つくり育てる漁業には，
どのようなくふうや
努力があるのかな。

ことば

養しょく・さいばい漁業　養
しょくとは，たまごから成魚になる
までいけすなどで育てることです。
また，さいばい漁業とは，人間の手
で魚や貝のたまごをかえして，川や
海に放流し，自然の中で育ててから
とる漁業のことです。

たまごを
かえす

魚を海に放す

岩をしずめて
岩場をつくる

人工の
魚のすみか

魚をとる

↑7 さいばい漁業のしくみ

↑8 水産センターの様子

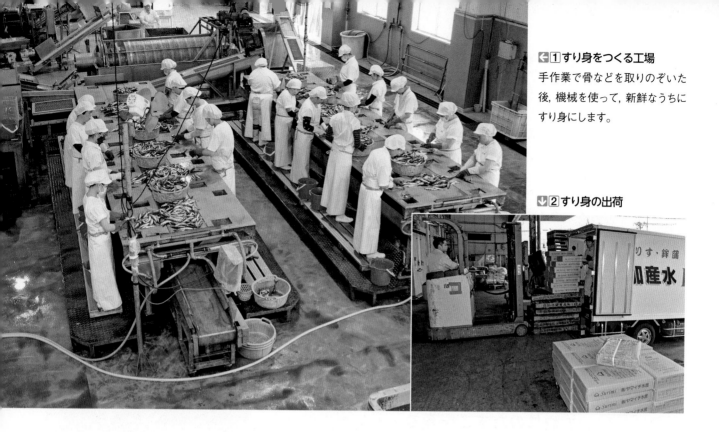

①すり身をつくる工場
手作業で骨などを取りのぞいた後，機械を使って，新鮮なうちにすり身にします。

②すり身の出荷

調べる

長崎漁港の周辺では，どのようにして水産加工品がつくられているのでしょうか。

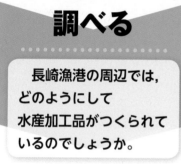

③長崎漁港とすり身工場，かまぼこ工場の位置

すり身からかまぼこをつくる　長崎漁港の近くには，魚のすり身をつくる工場があります。すり身は，長崎市内のかまぼこ工場などで使われます。

　すり身にする魚には，いわしやあじなど，長崎漁港の近海の魚が多く使われています。魚は手作業で骨と身に分け，その後機械で素早くすり身にします。頭や骨は，すてずに漁をするときの魚のえさにします。でき上がったすり身は，冷水であらい，ふくろづめにして冷凍され，長崎市内のかまぼこ工場を中心に全国に出荷されます。　10

「長崎漁港の近くの工場で，新鮮な魚を使ってすり身がつくられているんだね。」

「すり身はどこへとどけられ，どのように使われているのかな。」

↑④かまぼこ工場ですり身をねり合わせる

↑⑤でき上がった板付かまぼこ

　長崎漁港の周辺には，すり身をつくる工場だけでなく，かまぼこ工場もあります。魚がよくとれる長崎市では，昔からかまぼこづくりがさかんです。かまぼこ工場では，すり身をさらに加工して，
5　かまぼこやちくわなどをつくっています。

かまぼこを多くの人に食べてもらうために，どのようなくふうをしているのかな。

こ と ば

水産加工　魚などの水産物を原材料にして加工し，食品などを生産することです。

かまぼこ工場の中村さんの話

　すり身と調味料をまぜ合わせたものを，「むす」「焼く」「あげる」の作業でいろいろなかまぼこをつくります。長崎は魚が多くとれるので，昔は
10　家庭でもすり身からかまぼこをつくって食べていました。
　今はかまぼこを知らないわかい人が増えています。そこで，長崎市役所や飲食店と協力して，「長崎かんぼこ王国」という組織を立ち上げ，長崎のかまぼこのせん伝をしています。長崎のかまぼこの味を，わかい人たちにも引きついでいきた
15　いと思います。

↑⑥長崎市でつくられるさまざまな種類のかまぼこ製品と「長崎かんぼこ王国」のマーク

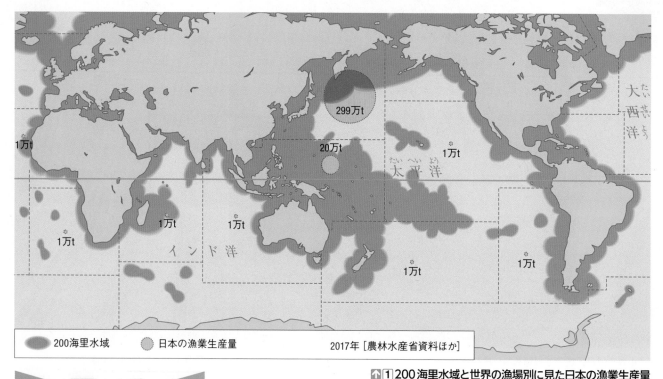

299万t

20万t

1万t

1万t

1万t

1万t

1万t

1万t

1万t

大西洋 たいせいよう

太平洋 たいへいよう

インド洋

| 200海里水域 | 日本の漁業生産量 | 2017年［農林水産省資料ほか］ |

↑①200海里水域と世界の漁場別に見た日本の漁業生産量

調べる

日本の水産業には，どのような課題があるのでしょうか。

ことば

200海里水域　1977（昭和52）年ころから，沿岸から200海里（約370km）の海は，外国の船がとる魚の量がきびしく制限されました。そのかわり，自国は資源の管理や水のよごれの防止が求められます。

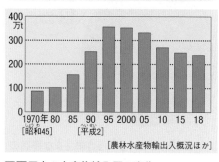

↑②日本の水産物輸入量の変化

日本の水産業がかかえている課題　ゆうなさんたちは，水産業にかかわる資料を見ながら気づいたことを出し合って，日本の水産業がどのような課題をかかえているのかを考えました。

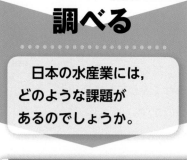

「グラフを見ると，1970年代の中ごろから遠洋漁業の漁獲量が減っています。」　5

「そのころ，200海里水域といって，各国の魚をとる範囲が決められたそうで，漁獲量が減ったことと関係があるようです。」

「200海里水域を決めることで，各国が自分の国の資源を守ろうとしたんだね。」　10

「沖合漁業や沿岸漁業も1990年ごろから減っています。同じころ，水産物の輸入量が増えていることと関係があるのではないかな。」

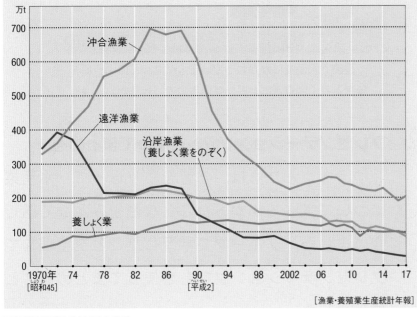

↑③漁業別の生産量の変化

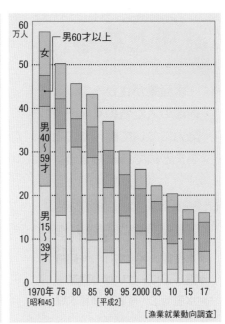

↑④漁業で働く人数の変化

　沖合漁業や沿岸漁業が減ってきたのは，漁場の環境の悪化やとりすぎなどの理由によって，魚などの資源そのものが少なくなってしまったことが原因です。また，外国から安い魚が輸入されるよ

5 うになったことも関係があります。

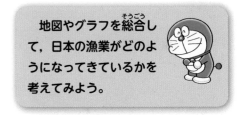

地図やグラフを総合して，日本の漁業がどのようになってきているかを考えてみよう。

遠洋漁業の現在

　遠洋漁業は，現在もさかんに行われている地域があります。静岡県の焼津漁港は，遠洋漁業でとったかつおやまぐろが水あげされる日本有数の漁港で，特にかつおの水あげ量では日本一です。

　「魚がなかなかとれなくなっていることを考えると，養しょくやさいばい漁業に積極的に取り組んでいくことも大切だね。」

　「漁業で働く人がどんどん減ってきていま

10 す。特に，わかい人が少なくなっているのが気になります。」

　「漁業で働く人がいなくなってはこまります。どのようにして働く人を増やしていったらよいか，さまざまな取り組みを調べてみたい

15 です。」

↑⑤漁業の仕事を案内するイベントのポスター

まとめる

水産業がさかんな地域の人たちのくふうや努力について調べたことをまとめてみましょう。

まとめの活動に**ことば**を生かそう。

こ と ば

●水産業　●水あげ　●価格（かかく）
●養しょく・さいばい漁業
●水産加工　●200海里水域（かいりすいいき）

学習問題を確認（かくにん）しよう。

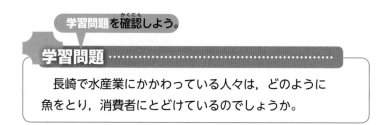

学習問題

長崎で水産業にかかわっている人々は、どのように魚をとり、消費者にとどけているのでしょうか。

プレゼンテーションソフトを使ってまとめる

　ゆうなさんたちは、学習をふり返って、水産業について調べてわかったことなどをみんなで話し合いました。グループで学習したことを整理して、プレゼンテーションソフトを使ってまとめることにしました。 5

❶

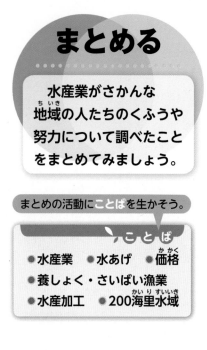

日本の漁業について

○主な漁港

寒流　寒流
日本海
親潮（千島海流）

東シナ海
太平洋

黒潮（日本海流）

暖流　暖流

0　300km

↑日本の主な漁港の水あげ量

豊富（ほうふ）な水産資源（しげん）

日本は、海に囲（かこ）まれ、寒流（かんりゅう）と暖流（だんりゅう）がぶつかり、魚が集まる漁場が数多くあることがわかります。

日本人は魚が好き

日本人はおすしが好きで、魚をたくさん食べます。

❷

長崎漁港のくふう

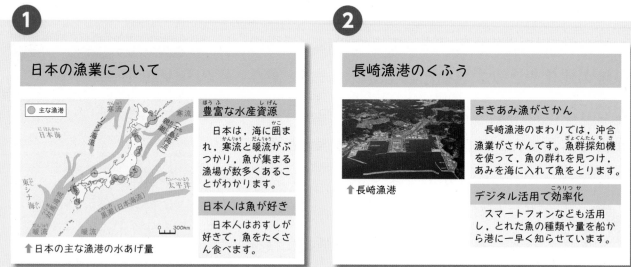

↑長崎漁港

まきあみ漁がさかん

長崎漁港のまわりでは、沖合（おきあい）漁業がさかんです。魚群探知機（ぎょぐんたんちき）を使って、魚の群れを見つけ、あみを海に入れて魚をとります。

デジタル活用で効率化（こうりつか）

スマートフォンなども活用し、とれた魚の種類や量を船から港に一早く知らせています。

↑1 ゆうなさんがつくったまとめ

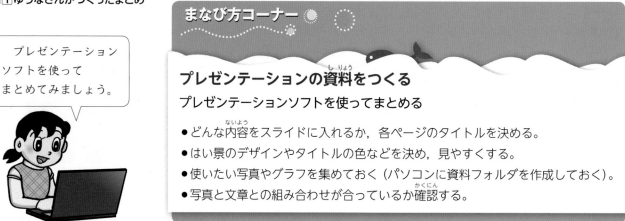

プレゼンテーションソフトを使ってまとめてみましょう。

まなび方コーナー

プレゼンテーションの資料（しりょう）をつくる

プレゼンテーションソフトを使ってまとめる

●どんな内容（ないよう）をスライドに入れるか、各ページのタイトルを決める。
●はい景のデザインやタイトルの色などを決め、見やすくする。
●使いたい写真やグラフを集めておく（パソコンに資料フォルダを作成しておく）。
●写真と文章との組み合わせが合っているか確認（かくにん）する。

「長崎漁港では，朝早くから多くの人が働いています。おいしい魚を消費者にとどけるために輸送の方法などをくふうしていました。」

「長崎漁港のまわりには，とった魚をすり身にする工場や，加工してかまぼこにする工場などがありました。」

「漁業には，とる漁業だけでなく育てる漁業もあります。日本の食卓から魚がなくならないように，多くの人々が働いていました。」

やってみよう

プレゼンテーションソフトを使ってまとめたら，学習したことをふり返って，これからの日本の漁業について考えたことを書いてみましょう。

❸

つくり育てる漁業

↑とらふぐの養しょく場

魚を育てる養しょく

長崎では，とらふぐの養しょくがさかんです。とる漁業だけではなく，育てる漁業として注目されています。

大きく育てるために

歯切りなど，小さな魚が大きく育つようにくふうして育てられています。

❹

魚を原料に

←さまざまな種類のかまぼこ

魚を加工して製品をつくる

長崎漁港の近くには，すり身工場やかまぼこ工場があります。かまぼこ工場で働く人は，長崎のかまぼこの味をわかい人たちにも引きついでいきたい，と話していました。

わたしは，漁業で働く人を増やすくふうをしていかなくてはいけないと思います。調べてみると，漁業の体験イベントをしたり，都会の人に漁業をしませんかとよびかけたりしていることを知りました。より多くの人が漁業に興味をもって参加してほしいと思いました。

↑❷ゆうなさんのノート

漁業はこれからどんどん機械化が進んでいくと思います。もっと早く魚の群れを見つける機械ができれば，たくさんの魚がとれるのではないでしょうか。新鮮なまま魚を運ぶ容器やトラックの開発が進めば，よりおいしい魚を消費者にとどけることができると思います。

↑❸ひろとさんのノート

1～3月	静岡県 34.0%	茨城県 21.3%		そのほか 35.3%
4～6月	長野県 40.3	茨城県 27.6		そのほか 12.4
7～9月	長野県 84.0		群馬県 12.8	
10～12月	茨城県 43.2	静岡県 17.4		そのほか 30.7

香川県 9.4% ／ 群馬県 19.7
茨城県 1.5
長野県 8.7 ／ そのほか 1.7

0　　　　　　　50　　　　　　100%

[2018年／東京都中央卸売市場月報]

↑2 東京都の市場に出荷されるレタスの県別わりあい

←1 一面に広がるレタス畑

ひろげる　関東平野のレタスづくり

調べる

レタスをつくる農家はどのようなくふうをしているのでしょうか。

茨城県

福島県

栃木県
坂東市　水戸市
茨城県
埼玉県
千葉県

さかんなレタスづくり　茨城県坂東市では、レタス、ねぎなどのさまざまな野菜がつくられています。特に岩井地区では、1年に2回（春と秋）収穫することができるレタスを中心に野菜づくりをしている農家がたくさん見られます。たくみ 5
さんは、レタス農家の高田さんから、レタスづくりのくふうについて話を聞きました。

レタス農家の高田さんの話

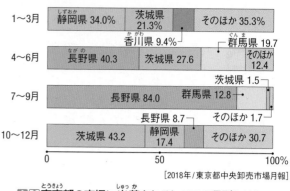

　春収穫するレタスは、冬の間育てるため、レタスがこおらないよう、ビニールをトンネルのように張ってつくります。しかし、トンネルをしめたま 10
まにするとトンネル内が暑くなるため、朝夕、トンネルの開けしめを行い、温度の調整をしています。

　一方、秋収穫するレタスは、夏から秋にかけて育てるため、害虫、長雨や台風による病気に注意しています。レタスの種には、暑さに強い種、寒さに強い種があるので、種選びにも 15
注意し、高品質のレタスづくりに取り組んでいます。

↓③レタスづくりの様子

❶ 種まき

❷ 植えつけ

❸ 収穫

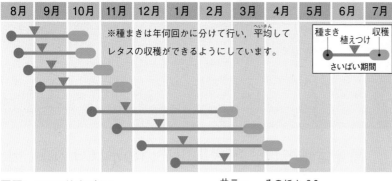

8月	9月	10月	11月	12月	1月	2月	3月	4月	5月	6月	7月

※種まきは年何回かに分けて行い，平均してレタスの収穫ができるようにしています。

種まき　植えつけ　収穫
さいばい期間

↑④レタスの仕事ごよみ

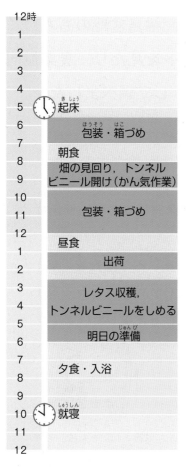

12時	
1	
2	
3	
4	
5	起床
6	包装・箱づめ
7	朝食
8	畑の見回り，トンネル
9	ビニール開け（かん気作業）
10	包装・箱づめ
11	
12	昼食
1	出荷
2	
3	レタス収穫，
4	トンネルビニールをしめる
5	
6	明日の準備
7	夕食・入浴
8	
9	
10	就寝
11	
12	

↑⑤高田さんの1日（春レタス出荷）

サニーレタス 3.1　そのほか 9.0

レタス 32.4　ねぎ 55.5%

総額72億円／2018年度
[JA岩井資料]

↑⑥岩井地区の野菜の生産額のわりあい
（JA岩井）　レタスのほかに，ねぎの生産もさかんです。

利根川橋　坂東市　茨城県
下総利根大橋　芽吹大橋
埼玉県　利根川　取手市
大利根橋
千葉県
[2019年]
東京都

東京都までの道のり
—— 芽吹大橋を経由
--- 下総利根大橋を経由
0　　10km

↑⑦市場への道のり　東京都の市場まで，1時間半でレタスを運ぶことができます。

❹ 包装

❺ 予冷センター

❻ 保冷車で市場へ出荷

福島盆地の果物づくり

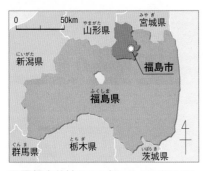

→ ① 福島盆地のもも畑　ももの花は4月の中ごろにさき、畑が一面もも色にそまります。「くだもの王国　ふくしま」を代表する景色の一つです。

調べる

果物をつくる農家は、どのようなくふうをしているのでしょうか。

　福島盆地では、阿武隈川ぞいの水はけのよい土地と、夏の高い気温を利用して、果物づくりがさかんです。あやさんたちは、福島盆地のももづくりについて、インターネットを見たり、農業協同組合（ＪＡ）に話を聞いたりして調べました。

5

おいしく安全なももづくりのくふう

　ももをつくる農家では、春先から余分な花や実をつんでしまいます。そうすることで、夏になると残った実が大きく育ち、味もあまくておいしくなります。機械でできない作業が多いので、とても手間がかかります。

　ももを収穫すると、お客さんに安心して食べてもらえるように、いろいろな検査をします。選果場に運ばれたももは、一つ一つ光センサーで検査して、大きさやあまさをそろえます。また、農家ごと、畑ごと、品種ごとに、検査を行って、安全なものだけを出荷しています。

春先に余分な花のつぼみを間引きます。

夏の初めにつきすぎたわかい実を間引きます。

花がさいてから100日あまり、大きくなった実を収穫します。

収穫されたももは、選果場で品質が検査されます。

ひろげる　鹿児島県（かごしま）の肉牛の飼育（しいく）

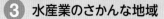

↑②肉牛の生産のさかんな鹿児島県曽於市

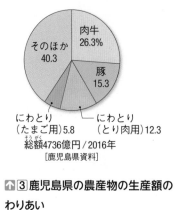

肉牛
26.3%

そのほか
40.3

豚
15.3

にわとり
（たまご用）5.8

にわとり
（とり肉用）12.3

総額4736億円／2016年
［鹿児島県資料］

↑③鹿児島県の農産物の生産額の
わりあい

鹿児島県は気候があたたかく，牛のえさになる
草がよく育つこともあって，肉牛の生産がさかん
です。りょうたさんは，鹿児島県曽於市（そお）で肉牛を
育てている上岡（かみおか）さんに手紙で質問（しつもん）をして，農家の
くふうとなやみについてノートにまとめました。

5

調べる

肉牛を育てる農家は，
どのようなくふうを
しているのでしょうか。

・調べた農家……鹿児島県曽於市の上岡さん　・調べたこと……○くふう　△なやみ

○広くて，かべのない牛舎（ぎゅうしゃ）
で育てる。風通しがよく，
清潔（せいけつ）に保（たも）たれる。

→牛がのびのびと元気に育つ。

→そうじの回数が少なくてすみ，
作業が楽になった。

○自分の畑で飼料（しりょう）をさいばいし
たり，畑の野菜くずをえさにしてあたえたりする。

△輸入（ゆにゅう）した飼料を使っていて，
えさ代がかかる。

△家畜（かちく）の伝染病（でんせんびょう）など，牛の病
気が心配。

△牛舎のそうじなど，きつい
作業が多く，働く人の高（こう）
齢化（れいか）が進んでいる。

↑かべのない広い牛舎

↑①スーパーマーケットで売られる外国産の食品

↑②魚の水あげ（鹿児島県枕崎市）

4 これからの食料生産とわたしたち

つかむ

食料生産の課題について話し合い，学習問題をつくりましょう。

（1kgあたり円）

小麦　32.1　30.1
たまねぎ　82.4　51.7
にんにく　1663.0　301.4
牛肉　1702.0　610.6

日本産
外国産

[2017年/農業物価統計調査ほか]

↑③日本産の価格と外国産の価格

日本の食料生産をめぐる課題　りくさんたちは，農業や水産業の学習をふり返り，どのような課題があったか話し合いました。

「日本人の食生活が変化して，米の生産量が消費量を上回り，米が余っているという　5
課題がありました。」

「水産業では，とれる魚の量が少なくなったり，魚を外国から輸入したりしていることがあげられます。」

「米をつくっている農家では，消費者の願　10
いにこたえるために，おいしくて安全な米づくりに取り組んでいました。」

「農業も水産業も働く人が減っていることも大きな課題でした。」

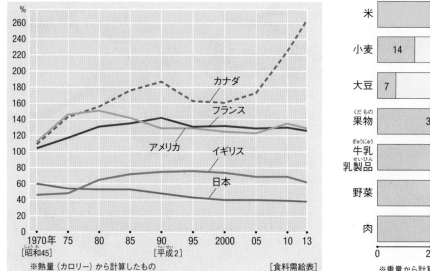

※熱量（カロリー）から計算したもの　　　　　　[食料需給表]

↑④日本と主な国の食料自給率

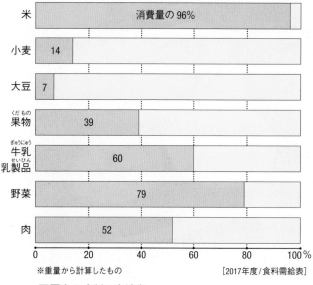

※重量から計算したもの　　　　　　　　[2017年度/食料需給表]

↑⑤主な食料の自給率

　りくさんたちは，日本と主な国の食料自給率について，資料をもとに調べてみました。

「どうして日本の食料自給率は低いのだろう。価格とも関係があるのかな。」

5　「日本の食料は，多くを輸入にたよっているんだね。小麦や大豆のほとんどを輸入しています。」

　「40年前と比べると，食料自給率は約3分の2になっています。いったい，何があったのだろう。」

10　りくさんたちは，日本の食料生産について疑問に思うことを話し合い，学習問題をつくりました。

> 食料自給率はどのように変化してきたのかな。

学習問題

　日本の食料生産にはどのような課題があり，これからの食料生産をどのように進めたらよいのでしょうか。

15

調べること

・食生活の変化により，どのようなえいきょうがあるか。

・食の安全・安心の取り組み。

・食料の安定的な確保の取り組み。

↑①食生活の変化　50年ほど前までは和食がほとんどでしたが，現在では洋食も多くなってきています。

調べる

食生活の変化は
食料生産にどのような
えいきょうをあたえて
いるのでしょうか。

まなび方コーナー

関連づけて考える

二つのグラフを関連づける

● 関連づけて考えるとは，二つ以上の
  ことをつなげて考えることです。

● 「一人1日あたりの食べ物のわりあ
  いの変化」のグラフからは，畜産物
  （肉や乳製品など）が多く食べられる
  ようになってきたことがわかります。

● 「食料品別の輸入量の変化」のグラ
  フからは，肉や乳製品などの輸入が
  増えてきたことがわかります。

● この二つをつなげて考えてみると，
  食生活が和風から洋風に変化し，そ
  れは輸入によって支えられているこ
  とがわかってきます。

わたしたちの食生活の変化と食料生産　近年，

わたしたちの食生活は大きく変わってきています。
りくさんたちは，和食と洋食の写真を見ながら，
毎日の食生活について話し合いました。

　「昔は米を多く食べていたけれど，だんだ　5
んパンを食べる人も多くなったのかな。た
まごや肉も，昔は少なかったんだね。」

　「昔に比べて，ずいぶんいろいろな食料品
が手に入るようになったね。」

「洋食を食べることも増えて，食生活が変　10
わってきていることがわかるけれど，その
ことで日本の食料生産にはどのようなえいきょう
があるのかな。」

　りくさんたちは，わたしたちの食生活の変化や
食料品別の輸入量の変化について資料で調べてみ　15
ました。

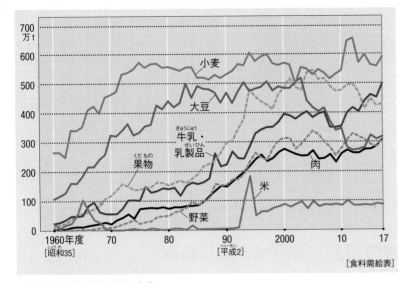

↑②食料品別の輸入量の変化

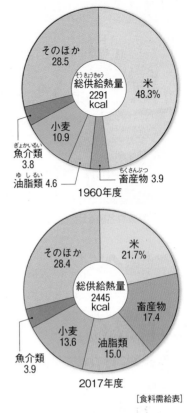

↑③一人1日あたりの食べ物のわりあいの変化（カロリーベース）

1960（昭和35）年と2017（平成29）年の1日の食べ物のわりあいの変化を比べてみると，米が減り，肉やその加工品，乳製品などの畜産物がとても増えています。さらに，その結果を食料品別の輸入量のグラフと関連づけて考えてみました。

「わたしたちの食生活が変化し，小麦や肉，乳製品などがたくさん輸入されるようになっています。」

「ふだん食べているものの中には，輸入された食料品がたくさんあることがわかります。」

わたしたちの食生活は豊かになりましたが，食料自給率の高い米の消費が減り，反対に，輸入された食料品が増え，日本の食料全体の自給率が低下しています。その一方で，食べられる食料を大量にすてているという問題もあります。

輸入食料品は，いつごろから，どのようなものが増えているのかな。

「食品ロス」の問題

　日本の年間の食品廃棄量は，約2760万トンで，このうち，売れ残りや期限をすぎた食品，食べ残しなどの「食品ロス」は約640万トンとされています（2016年度，農林水産省資料）。これは，世界中で飢えに苦しむ人々に向けた世界の食料援助量（年間約350万トン，2016年，WFP資料）を大きく上回る量です。

117

↑① 生産者の顔や名前を示す表示

↑② 食の安全に関する新聞記事

調べる

食の安全・安心に対する取り組みは，どのように行われているのでしょうか。

↑③ 産地を表示して売られる牛肉　個体識別番号で，どのように育てられた牛かわかるようになっています。

ことば

トレーサビリティ　例えば，畜産物の場合，どこで，どんなえさを食べさせて，どんな薬を飲ませたかきちんと記録して明らかにしています。生産者は自信をもって出荷できますし，消費者は安心して買うことができます。

食の安全・安心への取り組み　食生活が豊かになる一方で，消費者の食の安全・安心への関心が高まっています。

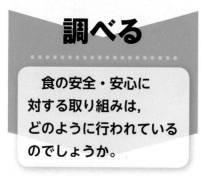「だれがどのようにつくったかわかると，消費者も安心できるのではないかな。」　5

「そういえば，スーパーマーケットで売られている野菜に，農家の方の写真が表示されていました。」

「でも輸入された食品は，どこでどのように生産しているかわかりにくいから，安全　10性を心配する人もいます。」

スーパーマーケットの店長さんの話

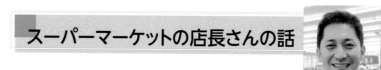

スーパーマーケットでは，食の安全に関する取り組みを積極的に行っています。生産者の顔が見える野菜をはん売したり，商品にはられているシー　15ルから農産物の生産者やさいばいの記録などがわかるようになっていたりするなど，トレーサビリティのしくみが整えられてきています。

↑④輸入食品の検査

↑⑤かんばつでかれてしまったとうもろこし
（アメリカ）

　りくさんたちは，資料をもとに，輸入食品につ
いて問題になることを話し合ってみました。

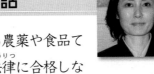
　　「気候のえいきょうで，もし輸入している
　国で農産物の収穫ができなかったら，輸入
5　ができなくなります。」

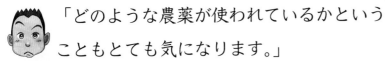
　　「どのような農薬が使われているかという
　こともとても気になります。」

食の安全・安心を確保するた
めに，どのようなし
くみがあるのかな。

検疫所で働く長さんの話

　日本と外国では，使用できる農薬や食品て
10　んか物がちがうため，日本の法律に合格しな
いと日本に食品を輸入することはできません。
　食品を輸入するときには，検疫所に輸入のとどけ出を提出
し，チェックを受けなければなりません。検疫所では，日本
の法律にあった原材料やつくり方でつくられたものかどうか
15　を検査したり，指導したりして，食の安全・安心の確保に努
めています。

冷凍インゲン
高濃度の農薬
中国産　体調不良に

　厚生労働省は15日未明，都の八王子保健所に町田市内の病院から13日，「毒物混入」の疑いがある苦情品を預かっている」と連絡があり，都健康安全研究センターで検査したところ，農薬ジクロルボス中央区）が輸入した中国産冷凍インゲンから基準値の3万4500倍にあたる農薬が検出された，と発表した。東京都内の商品は「ジェイティフーズ（本社・東京都

↑⑥輸入食品に関する新聞記事

　食の安全・安心のために，トレーサビリティの
取り組みや輸入食品に対する衛生管理が行われて
います。また，輸入のための輸送では，たくさん
20　の石油が使われ，環境に負担をかけていることも
わすれてはいけません。

検疫所
　全国の主な港や空港にあり，入国
者による感染症の流入を防いだり，
輸入食品の安全を守るための検査を
行ったりしています。

↑①地元の農産物をはん売する道の駅（鳥取県日南町）開業したときの様子です。

↑②商店街で県内の農産物をはん売する様子（宮崎県宮崎市）

調べる

食料を安定して確保し続けるためには，どのようなことが大切なのでしょうか。

1950年[昭和25]	農業・林業・水産業 48.3%	工業など 21.4%	商業など 30.3%

3.4
2018年[平成30]	23.5	73.1

0 20 40 60 80 100%

[労働力調査年報　平成30年ほか]

↑③産業別の人口のわりあいの変化

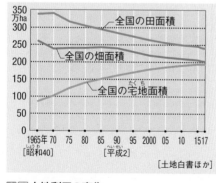

↑④土地利用の変化

ことば

地産地消　遠くから食材を運ぶより，なるべく住んでいる土地のそばで生産された食料を使うことです。

食料を安定して確保する　食料を安定して確保するにはどうすればいいでしょうか。りくさんたちは，農業協同組合（JA）の後藤さんに話をうかがいました。

農業協同組合の後藤さんの話

　今のわたしたちの食生活には，輸入された食料が欠かせません。輸入された食料が増える一方で，国内の農業生産や漁業生産が減っています。そのため，農業・林業・水産業で働く人が減り，耕地面積も減ってきています。食料を安定して確保するには，国内の食料自給率を高める必要があります。国産のものを食べること，自分の住んでいる地域でとれるものを食べることは，自給率を上げるうえで大切です。今いろいろな地域で，地産地消の取り組みが進められています。

「食料を安定して確保するためにも，自給率を上げるくふうが大切だと思います。」

「地元の食材を食べる地産地消に取り組むことは，食料自給率を上げることにもつながるのではないかな。」

5

10

15

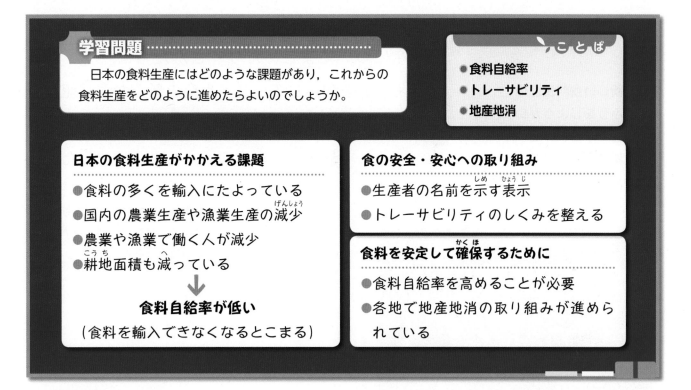

学習問題 ··

日本の食料生産にはどのような課題があり，これからの食料生産をどのように進めたらよいのでしょうか。

ことば
- 食料自給率
- トレーサビリティ
- 地産地消

日本の食料生産がかかえる課題
- 食料の多くを輸入にたよっている
- 国内の農業生産や漁業生産の減少
- 農業や漁業で働く人が減少
- 耕地面積も減っている

↓

食料自給率が低い

（食料を輸入できなくなるとこまる）

食の安全・安心への取り組み
- 生産者の名前を示す表示
- トレーサビリティのしくみを整える

食料を安定して確保するために
- 食料自給率を高めることが必要
- 各地で地産地消の取り組みが進められている

まとめる

これからの食料生産について調べたことをもとに，学習問題に対する考えをまとめましょう。

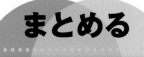

これまでの学習を総合して，大切だと思うことを文で表してみよう。

これからの食料生産について考える　りくさんたちは，これまでに調べたことをカードにして黒板にはり，分類しました。そしてこれからの食料生産について大事だと思うことを話し合い，意見文にまとめました。

食料自給率を上げる取り組みを進める

食料の安全・安心を確保することや，食料の安定した確保にはさまざまな課題があります。この課題に対して，わたしは，日本の食料自給率を上げることが大切だと考えました。食料自給率を上げることは，国内の農業や水産業の活性化につながると思ったからです。そのためには，まず，国内で生産されたものをむだなく食べることを大切にします。わたしたちの市で進めている地産地消の取り組みにも積極的に参加しようと思います。

→⑤りくさんのノート

新しい食料生産の
くふうをしょうかい
し合い，これからの
食料生産について
考えましょう。

食料生産の新たな取り組み　これからの食料生産についてまとめたりくさんたちは，インターネットを利用して，食料生産の新たな取り組みを調べ，しょうかいし合いました。

そして最後に，自分の考えをまとめました。　5

農業や水産業の新たな取り組みについて，生産者や消費者（ひしゃ）の立場から考えてみよう。

生産，加工，はん売を自分たちで

馬路村（うまじ）は，人口 900 人ほどの小さな村ですが，農業協同組合と地域（ちいき）の人が協力して，ゆずの生産，加工，はん売まで行っています。ゆずジュースはとても有名です。（高知県馬路村（こうち））

えさをくふうして価値（かち）を高める

豊（ゆた）かな自然の中で，さつまいもをふくんだえさを使って黒豚（くろぶた）を育てています。黒豚は，やわらかくておいしいととても人気があります。（鹿児島県伊佐市（かごしまいさ））

やってみよう

あなたの都道府県や市で行われている農業や水産業の新たな取り組みを調べてみましょう。

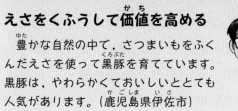

持続可能な漁業をすすめる

五所川原市の十三湖は，栄養豊富なしじみの産地です。この大切な水産資源を守っていくために，しじみのとり方や量，期間などを決めて漁業を行っています。写真は，地域の人がしじみ漁を体験している様子です。（青森県五所川原市）

有機減農薬農法による米づくり

木島平村では，「有機の里づくり」をすすめ，農薬の少ない米を生産しています。木島平村の米は，環境にも人にもやさしく，おいしさは全国のコンクールで高く評価されています。（長野県木島平村）

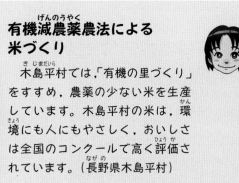

地域の人たちが力を合わせて，生産，加工，はん売まで行う取り組みは，まちの活性化にもつながるね。

それぞれの県や地域で生産される価値の高い農産物や水産物は，海外にも輸出できるのではないかな。

地域の気候の特色を生かし，出荷時期をずらして消費地へ送るのも大切なくふうだね。

新しいくふうで，農業や水産業で働く人が増えるといいね。わたしもとても関心があります。

消費者は，安さや安全だけでなく，手間をかけた高級なものなども求めています。こうした消費者の声にこたえながら，全国で食料生産の発展に向けたくふうが行われています。このように，国内の生産を元気にしていく取り組みが大切だと思いました。わたしも応えんしたいです。

↑① りくさんのノート

最後に，これまでの学習をふり返り，これからの社会科の学習に生かしていきましょう。

1 わたしたちの国土

世界の主な大陸や海はどのように広がっていて，日本の国土の様子はどのようになっていたかな。

世界の主な大陸と海洋

空から見た日本の国土

季節風

世界の主な大陸と海洋や，日本の国土の地形や気候の特色を学習しました。

地形を生かしたくらし

海津市で行われるボートの大会

嬬恋村のキャベツ畑

それぞれの地域で，地形や気候を生かしたくらしや産業がありました。

気候を生かしたくらし

沖縄県でつくられるパイナップル

札幌市の雪まつり

わたしたちがふだん食べているものは，どのようにつくられ，どのようなくふうがあったかな。

2 わたしたちの生活と食料生産

米づくりがさかんな地域

田植えの様子

農業協同組合による出前授業

水田が広がる庄内平野

米づくり農家だけでなく，さまざまな人がおいしい米をつくるために協力していました。

水産業のさかんな地域

魚の水あげ

魚のすり身工場

水産業では，魚をとるだけでなく，養しょくや魚の加工も行われていました。また，日本の食料生産を元気にする新たな取り組みもありました。

とらふぐの養しょく

さまざまな取り組み

地産地消の取り組み

生産，加工，はん売まで行う取り組み

どのように学んだかふり返ろう

―関連づける，総合する―

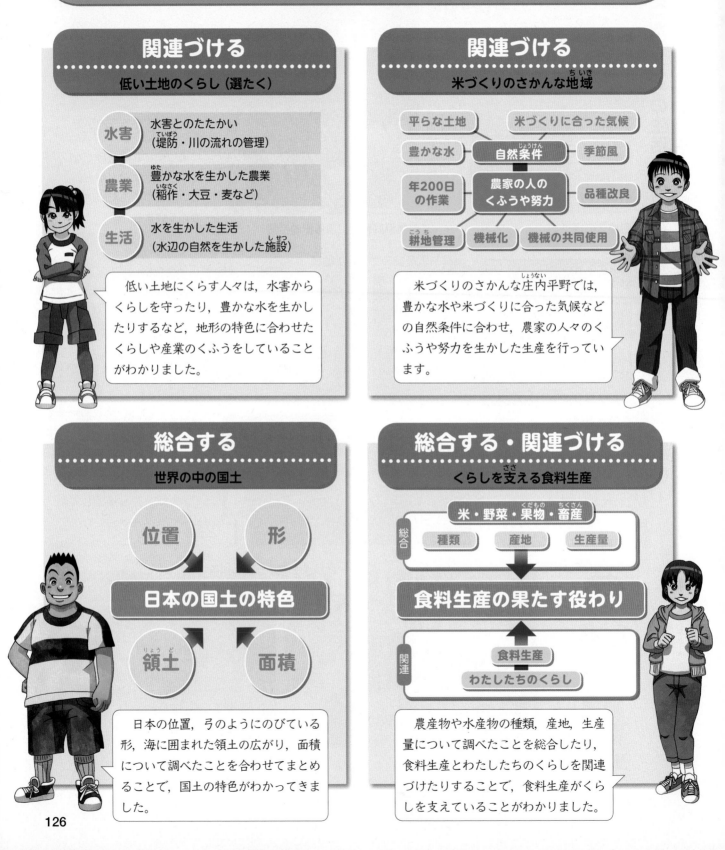

関連づける

低い土地のくらし（選たく）

- **水害** — 水害とのたたかい（堤防・川の流れの管理）
- **農業** — 豊かな水を生かした農業（稲作・大豆・麦など）
- **生活** — 水を生かした生活（水辺の自然を生かした施設）

低い土地にくらす人々は，水害からくらしを守ったり，豊かな水を生かしたりするなど，地形の特色に合わせたくらしや産業のくふうをしていることがわかりました。

関連づける

米づくりのさかんな地域

- 平らな土地
- 米づくりに合った気候
- 豊かな水 — **自然条件** — 季節風
- 年200日の作業 — **農家の人のくふうや努力** — 品種改良
- 耕地管理
- 機械化
- 機械の共同使用

米づくりのさかんな庄内平野では，豊かな水や米づくりに合った気候などの自然条件に合わせ，農家の人々のくふうや努力を生かした生産を行っています。

総合する

世界の中の国土

- 位置
- 形

→ **日本の国土の特色** ←

- 領土
- 面積

日本の位置，弓のようにのびている形，海に囲まれた領土の広がり，面積について調べたことを合わせてまとめることで，国土の特色がわかってきました。

総合する・関連づける

くらしを支える食料生産

米・野菜・果物・畜産

総合：種類　産地　生産量

↓

食料生産の果たす役わり

↑

関連：食料生産／わたしたちのくらし

農産物や水産物の種類，産地，生産量について調べたことを総合したり，食料生産とわたしたちのくらしを関連づけたりすることで，食料生産がくらしを支えていることがわかりました。

思考ツールを使って，学習問題をつくろう
── 「これからの食料生産とわたしたち」──

思考ツールとは，自分がどのように考えたか，一目でわかるものです。さらに，話し合いでも，おたがいに思考ツールを活用することで，考えが整理され，新たな考えが生まれます。

❶ 自分の考えを，下のように図にまとめる。

「米づくりのさかんな地域」と「水産業のさかんな地域」の学習をふり返り，二つの学習の共通点やちがいを見つける。

右の丸は，水産業のさかんな地域の学習をふり返って書こう。

左の丸は，米づくりのさかんな地域の学習をふり返って書こう。

米づくりのさかんな地域
- 庄内平野
- 自然環境を生かす
- 機械化
- 農作業の共同化
- 農業協同組合（ＪＡ）
- 品種改良

共通点
- 消費量の減少
- 働く人の減少
- 輸送のくふう
- 価格や費用
- 安全・安心な食

水産業のさかんな地域
- 豊富な水産資源
- 沖合漁業と遠洋漁業
- 市場　加工工場
- 輸入　200海里水域
- 養しょく
- さいばい漁業

二つの丸の重なっているところには，共通することを書くんだね。

重なっているところについて考えると，これからの食料生産についてわかるかな。

❷ グループで話し合いながら整理し，考えを増やしたり，合わせたりする。

自分でまとめた図をもとに，グループで話し合いながらグループの図をつくる。どうしてそう考えたのか，根きょとなる資料についても説明をする。

米づくりと水産業は，課題が似ているのに気づいたね。

グラフを見ると，農業も水産業も働く人が減っています。

❸ クラスの図をつくり，話し合う。

個人やグループでつくった図をもとに，クラスの図をつくる。「消費量の減少」「働く人の減少」などの共通する課題を見つけていく。

複数のグループの意見を合わせると，新しい考えが出そうだね。

今後の食料生産に関して，輸入についても考えてみないといけないね。

❹ 学習をふり返り，自分の考えをまとめる。

米づくりのさかんな地域と水産業のさかんな地域の学習を比べて，気づいたことや調べてみたいことをノートにまとめる。クラスでふり返ったことを議論し，学習問題をつくる。

これからの食料生産はどうなるのか，くわしく調べていきたい。

どんな取り組みを進めていけばよいかについても考えたいです。

ことがら

あ
緯度と経度 ・・・・・・・・・・・・・・ 9
沿岸漁業 ・・・・・・・・・・・・・・・・ 99
遠洋漁業 ・・・・・・・・・・・・・・・・ 99
沖合漁業 ・・・・・・・・・・・・・・・・ 99

か
価格 ・・・・・・・・・・・・・・・・・・ 101
火山 ・・・・・・・・・・・・・・・・・・ 18
河川じき ・・・・・・・・・・・・・・・・ 30
カントリーエレベーター ・・・・・・・ 83
気温 ・・・・・・・・・・・・・・・・・・ 47
気候 ・・・・・・・・・・・・・・・・・・ 42
季節風 ・・・・・・・・・・・・・・・・・ 45
検疫所 ・・・・・・・・・・・・・・・・・ 119
高原野菜 ・・・・・・・・・・・・・・・・ 35
降水量 ・・・・・・・・・・・・・・・・・ 44
国旗 ・・・・・・・・・・・・・・・・・・ 10

さ
山地 ・・・・・・・・・・・・・・・・・・ 18
産地 ・・・・・・・・・・・・・・・・・・ 68
食料自給率 ・・・・・・・・・・・・・・・ 115
水産加工 ・・・・・・・・・・・・・・・・ 105
水産業 ・・・・・・・・・・・・・・・・・ 97
水田 ・・・・・・・・・・・・・・・・・・ 70
生産性 ・・・・・・・・・・・・・・・・・ 84
せり ・・・・・・・・・・・・・・・・・・ 100
専業農家 ・・・・・・・・・・・・・・・・ 82
先住民族 ・・・・・・・・・・・・・・・・ 62
促成さいばい・抑制さいばい ・・・・・ 37

た
台風 ・・・・・・・・・・・・・・・・・・ 48
大陸だな ・・・・・・・・・・・・・・・・ 97
暖流と寒流 ・・・・・・・・・・・・・・・ 97
地球儀 ・・・・・・・・・・・・・・・・・ 7
地産地消 ・・・・・・・・・・・・・・・・ 120
地図 ・・・・・・・・・・・・・・・・・・ 7
治水 ・・・・・・・・・・・・・・・・・・ 27
堤防 ・・・・・・・・・・・・・・・・・・ 22
転作 ・・・・・・・・・・・・・・・・・・ 90
土地利用図 ・・・・・・・・・・・・・・・ 78
トレーサビリティ ・・・・・・・・・・・ 118

な
200海里水域 ・・・・・・・・・・・・ 13, 106
日本の島の数 ・・・・・・・・・・・・・・ 13
農業協同組合（ＪＡ） ・・・・・・・・・ 86

は
パイプライン ・・・・・・・・・・・・・ 29

％（パーセント） ・・・・・・・・・・・ 71
費用 ・・・・・・・・・・・・・・・・・・ 89
品種改良 ・・・・・・・・・・・・・・・・ 87
プランクトン ・・・・・・・・・・・・・ 97
文化 ・・・・・・・・・・・・・・・・・・ 54
平地 ・・・・・・・・・・・・・・・・・・ 18
ヘクタール ・・・・・・・・・・・・・・ 61

ま
水あげ ・・・・・・・・・・・・・・・・・ 99

や
養しょく・さいばい漁業 ・・・・・・・ 103

ら
領土 ・・・・・・・・・・・・・・・・・・ 14
輪作 ・・・・・・・・・・・・・・・・・・ 60

地名（日本）

青森県五所川原市 ・・・・・・・・・・・ 123
青森県下北半島 ・・・・・・・・・・・・ 17
秋田県横手市 ・・・・・・・・・・・ 64〜65
茨城県大洗町 ・・・・・・・・・・・・・ 66
茨城県坂東市 ・・・・・・・・・・ 110〜111
択捉島 ・・・・・・・・・・・・・・・・・ 13
愛媛県八幡浜市 ・・・・・・・・・・・・ 73
沖縄県 ・・・・・・・・・・・・・・・ 48〜55
沖縄県石垣島 ・・・・・・・・・・・ 43, 70
沖縄県糸満市 ・・・・・・・・・・・・・ 44
沖縄県竹富島 ・・・・・・・・・・・・・ 48
沖縄県名護市 ・・・・・・・・・・・・・ 52
沖ノ鳥島 ・・・・・・・・・・・・・・・ 12
香川県丸亀市 ・・・・・・・・・・・・・ 66
鹿児島県桜島 ・・・・・・・・・・・・・ 17
鹿児島県曽於市 ・・・・・・・・・・・・ 113
鹿児島県枕崎市 ・・・・・・・・・・・・ 114
神奈川県鎌倉市 ・・・・・・・・・・・・ 44
岐阜県海津市 ・・・・・・・・・ 17, 22〜31
岐阜県中津川市 ・・・・・・・・・・・・ 66
群馬県高崎市 ・・・・・・・・・・・・・ 45
群馬県嬬恋村 ・・・・・・・・・・ 32〜39
高知県馬路村 ・・・・・・・・・・・・・ 122
高知県檮原町 ・・・・・・・・・・・・・ 70
尖閣諸島 ・・・・・・・・・・・・・・・ 14
竹島 ・・・・・・・・・・・・・・・・・・ 14
千葉県九十九里浜 ・・・・・・・・・・・ 17
東京都八王子市 ・・・・・・・・・・・・ 17
徳島県祖谷地方 ・・・・・・・・・・・・ 16
鳥取県日南町 ・・・・・・・・・・・・・ 120
富山県砺波市 ・・・・・・・・・・・・・ 66

長崎県九十九島 ・・・・・・・・・・・・ 16
長崎県長崎市 ・・・・・・・・・・ 98〜109
長野県飯田市 ・・・・・・・・・・・ 40〜41
長野県木島平村 ・・・・・・・・・・・・ 123
長野県松本市 ・・・・・・・・・・・・・ 42
新潟県湯沢町 ・・・・・・・・・・・・・ 45
西之島 ・・・・・・・・・・・・・・・・・ 15
歯舞群島 ・・・・・・・・・・・・・・・ 15
福井県福井平野 ・・・・・・・・・・ 94〜95
福井県若狭湾 ・・・・・・・・・・・・・ 16
福岡県福岡市 ・・・・・・・・・・・・・ 43
福島県福島市 ・・・・・・・・・・・・・ 112
北海道 ・・・・・・・・・・・・・・ 56〜63
北海道石狩平野 ・・・・・・・・・・・・ 17
北海道札幌市 ・・・・・・・・・ 56, 58〜59
北海道知床半島 ・・・・・・・・・・・・ 43
北海道十勝地方 ・・・・・・・・・・ 60〜61
北海道東神楽町 ・・・・・・・・・・・・ 70
北海道別海町 ・・・・・・・・・・・・・ 73
南鳥島 ・・・・・・・・・・・・・・・・・ 13
宮崎県綾町 ・・・・・・・・・・・・・・ 73
宮崎県宮崎市 ・・・・・・・・・・・・・ 120
山形県蔵王 ・・・・・・・・・・・・・・ 43
山形県酒田市 ・・・・・・・・・・・ 70, 88
山形県庄内平野 ・・・・・・・・・・ 76〜93
与那国島 ・・・・・・・・・・・・・・・ 12

国名（外国）

アメリカ合衆国 ・・・・・・・・・・・・ 11
アルゼンチン ・・・・・・・・・・・・・ 11
イギリス ・・・・・・・・・・・・・・・ 10
インド ・・・・・・・・・・・・・・・・・ 10
エジプト ・・・・・・・・・・・・・・・ 10
オーストラリア ・・・・・・・・・・・・ 11
カナダ ・・・・・・・・・・・・・・・・・ 11
サウジアラビア ・・・・・・・・・・・・ 10
大韓民国 ・・・・・・・・・・・・・・・ 11
中華人民共和国 ・・・・・・・・・・・・ 11
朝鮮民主主義人民共和国 ・・・・・・・ 12
ドイツ ・・・・・・・・・・・・・・・・・ 10
トルコ ・・・・・・・・・・・・・・・・・ 10
ニュージーランド ・・・・・・・・・・・ 11
フィリピン ・・・・・・・・・・・・・・ 12
ブラジル ・・・・・・・・・・・・・・・ 11
フランス ・・・・・・・・・・・・・・・ 10
南アフリカ共和国 ・・・・・・・・・・・ 10
モンゴル ・・・・・・・・・・・・・・・ 12
ロシア連邦 ・・・・・・・・・・・・・・ 10